WONDERFUL WORLD

원더풀 월드

너와숲

한 순간, 모든 게 무너져 내렸다

WONDERFUL WORLD

원더풀 월드

답답하고 어두운 현실 속에서 희망마저 보이지 않을 때 사람들은 현실을
담고 있거나 현실보다 더 힘든 드라마를 회피하고 싶은 심리가 있다고
생각합니다.
사실 '원더풀 월드'가 그런 드라마죠.
담장이 없는 밝은 드라마와는 달리 우리 드라마는 '담장'이 있었던 거
같아요.

그런 의미에서 보시는 것만으로도 감정 소모가 크셨을 텐데 발끝을 들고
담장 안을 들여다봐 주신 시청자분들께 가장 먼저 머리 숙여 감사드립니다.

더불어 이 쉽지 않은 이야기를 세상 밖으로 같이 끄집어내 보자고 손잡아
주신 분들께도 고마움을 전하고 싶습니다.

대한민국 원톱 여배우로서 지문 한 줄 한 줄도 허투루 보지 않고 손짓 하나,
걸음 하나 옮기는 것조차 작품의 전체적 구도와 심리를 생각해서 너무나도
디테일하게 신중하게 표현해 주신 김남주 배우, 전혀 밑바닥 인생을 그려
낼 수 없을 거 같은 외모로 거친 권선율이라는 캐릭터를 너무나도 섬세하게
때로는 신비롭게 때로는 비련하고 처연하게 그려 낸 차은우 배우를 비롯해
참여해 주신 모든 배우들.

로맨틱하지도 웃기지도 않는 무거운 드라마를 과감하게 편성해 주신 MBC.
언제나 든든한 힘이 되어 준 삼화 제작사와 보석 같은 기획팀 식구들.
따뜻하면서도 카리스마 있는 감독님과 모든 스태프들.
그리고, 이 대본집을 통해 꼭 세상에 알리고 싶은 이름.
부족한 저와 함께 묵묵히 끝까지 걸어와 준 '김효신 보조 작가', '천운 보조 작가'
모두에게 고마움을 전합니다.

아무리 힘들어도 결국엔 상처 받은 사람들이 연대하고 다시 일어서는
모습을 감히 보여 드리고 싶었던 거 같습니다. 무너지지 않고 살아가 주셔서
감사하다고 말씀드리고 싶었습니다.

부디 상실의 슬픔을 가진 모든 사람들이 편안해지기를…
세상이 그들에게 조금은 더 다정하기를…
아픔을 이겨 내고 있는 당신에게도 아름다운 세상이 오기를…
그래서 언젠가는 아픔이 덜한 시간에 가 있기를…

― <원더풀 월드> 中 ―

작가 김지은

한유리 (임세미)

친자매
같은 사이

권선율 (차은우)

교도소
친구

선율의 친구

장형자 (강애심)
장기수

홍수진 (양혜지)
터프팅 공예가

박용구 (김우현)
폐차장 동료

권지웅 (오만석)
건설사 대표

오고은 (원미경)
식당 운영

정명희 (길해연)
수호 모

강태호 (강태호)
수호 동생

가족

모녀

은수현 (김남주)
심리학 교수

가족

강수호 (김강우)
보도국 국장

강건우 (이준)

수현의 이웃

윤혜금 (차수연)
금 갤러리 관장

윤희재 (진재희)
혜금의 아들

김준 (박혁권)
한국연합당 대표

은수현 　 김남주 CAST

前 심리학 교수이자 작가

누구나 수현을 사랑했다. 긍정적인 생각, 사람의 마음을 잘 살피는 배려,
주변을 행복하게 하는 유쾌함까지. 그저 가만히 있어도 빛이 나는 사람, 그게
수현이었다.

매번 변화하고 끊임없이 새로워지는 마음이라는 것에 이끌려 심리학을
전공했고, 아는 것을 나누기 위해 교수라는 직업을 택했다. 가장 좋아하는
사람과의 사랑도 이루어졌고, 처음으로 쓴 책도 감당하기 힘들 만큼 넘치는
사랑을 받았다.

흠집 하나 없는 보석 같은 인생.
하지만, 불행은 소리 없이 수현을 할퀴었고,
추락은 끝이 없었다.

4번의 유산 끝에 간신히 얻은, 목숨보다 더 소중한 '건우'를
사고로 잃었다. 사고를 낸 가해자는 반성하지 않았고 그녀와
그녀의 아들을 조롱했으며, 결국 복수의 칼날로 가해자를
처단함으로써 전과자가 된다.

트라우마에 고통 받을 바에는 차라리 증오에 미치라고 했듯,
그녀는 자신의 복수를 후회하지 않는다.

권선율

미스테리한 인물

심장은 약했으나 강한 마음을 가졌던 아이.

선율의 삶은 늘 죽음에 더 가까웠다.
반드시 살아남아 자신처럼 아픈 아이들을
치료해 주겠다는 꿈을 지녔었다.
하지만, 사랑하는 가족을 잃고
그 꿈도 박살 났다.

유복했던 가정도, 안전했던 집도, 누렸던 모든 것들이 다
사라졌다. 벼랑 끝에서 선율은 아득바득 버티듯이 살아
냈다. 선율에게 남은 건 세상에 대한 증오뿐이었다.

그렇게 분노와 체념이 반복되는 일상에 익숙해질 무렵,
수현을 마주한다.

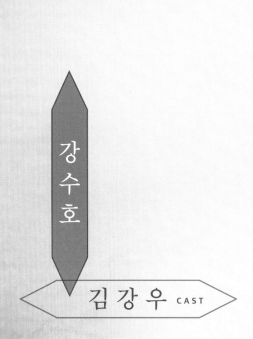

강수호

김강우 CAST

수현의 남편
前 기자, 現 보도국 국장

수호는 누구보다 수현과 건우를 사랑하는 남편이고 아빠였다.
두 사람을 위해서라면 목숨도 바칠 수 있는 남자,
그게 수호였다.

그러나, 그날의 사건이 벌어졌다.

아들이 죽었고, 아내가 살인자가 되었다.

한순간 잘못된 선택으로
걷잡을 수 없는 파국의 소용돌이 속에
빠지게 되는 남자.

수현의 친자매 같은 동생
前 수현의 매니저, 現 청담 편집 숍 대표

어린 시절, 차가운 길바닥으로 쫓겨날 때마다 오들오들 떨며 빌었다.
지금 이 불행들 다 참고 견딜 테니까 제발 한 번만 행복하게 해 달라고.

임세미 CAST

한유리

그리고 유리는 수현으로부터 그 소원을 이루었다.
맹세컨대 유리는 수현과 고은을 자신의 목숨보다 더
사랑한다.

그런데 그해 여름,
그날의 사건으로부터 비극이 시작됐다.
그렇게 분노와 체념이 반복되는 일상에
익숙해질 무렵, 수현을 마주한다.

011

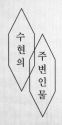

오고은 ／ 원미경 CAST

수현의 엄마, 식당 운영

고은의 이름은 엄마와 아버지가 머리를 맞대고 지어 주신 이름이다.

형자, 명자, 순이 같은 이름이 흔하던 그 시대에 부모님이 온 정성을 다해 지어 준 이름이 고은은 참 좋았다.

부잣집 외동딸로 태어나 이름처럼 곱게 살라고 지어 준 그 이름이…

그리고 이름보다 더 고운 딸 수현을 얻었다. 한데, 그렇게 곱게 키운 딸 수현이 자식을 잃고 거기다 살인자가 됐다.

고은은 수현을 감옥에 보내 놓고 먹지도 자지도 못했다. 그저 교도소 주변을 맴돌며 얼마나 목 놓아 울었는지 모른다.'

그래도 고은은 쓰러질 수 없었다. 어떻게든 내 딸을 지켜야 했으니까.

장형자 ／ 강애심 CAST

수현의 동료 수감자

지어서는 안 될 큰 죄를 저지른 뒤 20년을 선고받고 복역 중인 장기수.

삶의 의지를 잃고 무너져 가던 수현을 투박하지만 세심하게 챙겨 준다.

수현이 다시 일어설 수 있게 도와주는 인물.

강건우 ／ 이준 CAST

수현의 아들. 6살

존재 자체가 사랑인 인물로 수현의 회상과 꿈에서 자주 등장하게 될 인물.

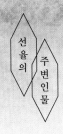
홍수진 ⟩ 양혜지 CAST

선율의 절친. 터프팅 공예가

선율의 오랜 친구. 유일하게 선율이 마음을 터놓을 수 있는
사람이다.
다양한 방면에 재주가 많아 선율이 필요할 때 도움을 주기도
한다.
현재, 터프팅 공예가로 활동하고 있다. 걸 크러시가 사람으로
태어나면 딱 수진의 모습이다.
직설적이고 털털하고 시원하고 솔직한 성격이지만,
유독 딱 한 사람, 선율 앞에서는 자꾸 삐거덕거린다.

박용구 ⟩ 김우현 CAST

선율의 폐차장 동료

선율의 절친. 선율의 일이라면 자신의 일처럼 도와주는 의리
있는 인물.

차
례

WONDERFUL WORLD

원더풀 월드

- 8화 -

그 남자의 아들

e	철커덩 소리.

1씬 **N, 교도소 긴 복도 (2화 10씬)**
수현, 철장에 매달리는 재소자들 사이로 묵묵히 걸어가는.

수현 e	나는, 내 인생이 어떻게 흘러가든 상관없었어.

INS *바닥으로 떨어지는 대형 현수막 속 수현의 얼굴. (2화 12씬)*

2씬 **D, 건우의 묘원 (1화 31씬)**
수현, 품에 안은 건우의 유골함, 뺏기지 않으려는 듯 더 꽉 안고.

수현 e	건우가 사라지면서,

INS   *'외장창!' 산산조각 나는 건우의 영정 사진. (1화 46씬)*

수현 e   내 삶도 끝났으니까.

3씬   **N, 방송국 대기실 (3화 43씬)**
봉투에서 사진을 꺼내 드는 수현의 눈빛.

수현 e   그러다, 사진 한 장을 받았어.

INS   *수호의 불륜 사진*

4씬   **D, 한국대 병원, 복도 (7화 58씬)**
<정상을 오르는 원정대 제6회 가족 봄 소풍> 사진 앞에 선 수현.

수현 e   누가 보냈는지도 알게 됐어.

INS   *'지웅'의 무릎에 앉은 '어린 아들'*

5씬   **(현재) D, 카페 (7화 58씬 이어서)**
맞은편에 앉아 있는 선율의 모습으로 겹치며.

수현   그 남자의 아들.

순간, 부딪치는 수현과 선율의 눈빛.

수현   만나게 해 줄 수 있다고 했지?

선율   (서늘) 만나 보게요?

수현, 선율을 잠시 바라보다가.

수현   대신 전해 줘.

선율   (…)

수현   나를 괴롭히고 싶으면 마음껏 그래도 좋아.

              고통스럽게 하고 싶다면 얼마든지 당해 줄 거야. 그렇지만,

              (단호) 내 가족은 안 돼.

선율   (서늘해지는…)

수현   나에 대한 분노로 내 가족을 건드리는 건, 그것만큼은 안 돼.

선율, 그런 수현을 똑바로 눌러보다가.

선율   그 친구도 자기 아빠를 잃었잖아요.

수현   나는, 내 새끼를 잃었어.

선율   (눈빛)

수현   자식을 억울하게 잃은 엄마는, 뭐든 해.

팽팽하게 부딪치는 수현과 선율의 눈빛.

그렇게 서로를 흔들림 없이 바라보는 두 사람의 모습에서.

블랙아웃.

타이틀 <원더풀 월드>

6씬　　　**D, 폐차장 외경**

7씬　　　**D, 폐차장, 복싱장**
　　　　　선율, 거친 숨소리와 함께 샌드백 치는.

　　　　　플래시백　(5씬)

수현　　　나를 괴롭히고 싶으면 마음껏 그래도 좋아.
　　　　　그렇지만, 내 가족은 안 돼. (cut)
　　　　　나는, 내 새끼를 잃었어. (cut)
　　　　　자식을 억울하게 잃은 엄마는, 뭐든 해. (cut)

　　　　　흔들림 없던, 강건했던, 거침없던 수현의 눈빛. 눈빛. 눈빛 속,
　　　　　선율, 참을 수 없는 감정으로 더 거칠게 샌드백을 치는 그때,
　　　　　수진, 놀라 달려와 말리고.

수진　　　야! 왜 이래?! 너 또 쓰러지고 싶어?!

　　　　　그제야, 선율, 멈추고 가쁜 숨을 몰아쉬는데.

수진　　　왜?! 그 여자가 또 뭐라고 지껄였는데?!
선율　　　(흐르는 땀, 차오르는 숨…)
수진　　　(다그치듯) 어?!

선율	너, 인간이 가장 고통스러울 때가 언젠 줄 아냐.
수진	(보면)
선율	(어금니 꽉) 눈앞에서 내 가족을 망가뜨렸을 때.
	… 지금의 나처럼.
수진	(안타깝고) 선율아,
선율	끝까지 갈 거야. 그 여자의 끝이든, 내 끝이든.

매서운 선율의 눈빛, 그 위로 들리는.

e	카메라 셔터음.

8씬　　**(회상) N, 호텔 맞은편 빌딩 옥상**

앵글 속, 키스하는 수호와 가려진 여자의 실루엣.

그걸, 연속해서 찍고 있는 사람, 서서히 올라가 보면, 선율이었고.

선율 e	그 여자가 다시 행복해지려는 순간을 기다렸어.

플래시백

인화용액 속, 떠오르는 수호와 얼굴 없는 여자 사진을 바라보는 선율.

봉투에 적어 내려가는 '은수현' (3화 36씬) (cut)

9씬　　**(현재) D, 도로**

오토바이 엔진음과 함께 질주하는 오토바이.

헬멧 사이로 보이는 서늘한 선율의 눈동자.

선율 e	내가 받은 고통보다 더 고통스럽게 할 거야.
	내 앞에서 진심으로 후회하게 만들 거야.

그렇게 멀어지는 선율의 오토바이.

10씬　　**D, 금 갤러리 앞**

멈추어 서는 선율의 오토바이.

선율	(헬멧 벗고 비서관에게 전화 걸며) 도착했습니다. 걱정 마세요.

끊고는 서서히 쳐다보는 곳, 금 갤러리. 그 위로.

수진 e	윤혜금, 프랑스에 있는 아트 스쿨을 다녔더라고.

11씬　　**D, 금 갤러리**

들어서는 선율 위로 계속.

수진 e	현재는 아들 하나 달고 한국 컴백.
	준성 문화 재단에서 운영하는 금 갤러리 관장.

금 갤러리 간판 우측 하단에 작게 적힌 <준성 문화 재단>
선율, 천천히 시선 돌리면, 저만치 도슨트 중인 혜금.

혜금	금 갤러리 관장 윤혜금입니다. 오늘 여러분께 소개해 드릴 그림은,

모여 있는 사람들 뒤로 선율도 다가와 멈추고.

혜금   단테의 신곡 중 제 2지옥의 '프란체스카와 파올로'입니다.
(그림 속 여자를 가리키며) 프란체스카는 남편이 전쟁터에 나가 있는 사이, (남자를 가리키며) 시동생인 파올로와 불륜을 저지르게 되는데요. 결국 남편에게 발각되어 살해당하는… (점점 작아지며…)

플래시백   701호 앞 (4화 35씬)
수호와 혜금, 함께 방으로 들어가는 걸 지켜보는 수현.
저만치서 그 모습을 지켜보고 있던 또 한 사람. 선율이었고.

현재   D, 갤러리
사람들 사이를 다니며 친절하게 설명해 주는 혜금.
선율, 혜금을 따라 나란히 걸으며 바라보는 위로.

수진 e   네 말대로 대단한 남자가 스폰서더라~

마침 혜금, 돌아보다가 선율과 눈 마주치자 아는 사이인 듯 목례하면, 선율도 목례하고는 고개 드는데 그 스폰서가 누군지 아는 듯한 눈빛.

(시간 경과)

<프란체스카와 파올로> 앞에 팔짱 끼고 서 있는 선율.
혜금, 포장된 그림 들고 다가와서는.

혜금   여기요. 의원실에 걸 거라고 비서관님께 말씀드리면 아실 겁니다.

선율	(포장된 그림 받아 드는데)
혜금	(문득) 아까부터 계속 이 그림 보고 계시던데.
선율	(의미심장하게 그림을 바라보며) 마음에 들어요.
혜금	형수랑 시동생의 안타까운 사랑이죠.
선율	글쎄요. 누군가에게는 비극 아닐까요.
혜금	(보면)
선율	(누군가를 떠올리며) 가장, 사랑하는 두 사람에게 배신당했으니까.

선율, 무심히 인사하고는 등 뒤로 혜금의 시선 느끼며 갤러리 나서고.

12씬　　**D, 금 갤러리 인근, 골목**

선율의 오토바이 막 골목을 돌면, 대기하고 있던 차.

그 옆에 오토바이 세우고 선율 다가가면,

짙게 선팅 된 창문 내려가고. 선율, 그 틈으로 그림 건네는데,

받아 드는 사람, 수진이다.

13씬　　**D, 수진의 차 안**

수진, 금속탐지기로 미술품 뒤 확인하는데, '삐삐삐―' 소리. (cut)

포장지 벗겨진 그림 조수석에 놓여 있고

그림에서 꺼낸 USB를 노트북에 넣는.

노트북 화면, 데이터 복사 중.

미술품 가격과 거래한 사람 명단, 엑셀로 쭉 뜨는.

컷 튀면.

내리는 차창.

수진   (다시 말끔하게 포장된 그림과 USB 건네며) 여기.
        (걱정스러운) 근데 너 이러려고 김준 밑에서 일하는 거냐?
선율   (대답 대신 USB만 따로 주머니에 챙겨 넣고) 고생했어.

오토바이에 그림 싣고는 급히 출발하면,
수진, 여전히 걱정스럽게 바라보고.

14씬   D, 대학 외경

15씬   D, 복도, 김시라 교수실 앞
        시라, 강의 마치고 걸어오다가 저만치 서 있는 수현을 봤고.

시라   어? 안녕…하세요?

수현, 목례하고는 서늘하게 바라보는 눈빛.

16씬   D, 교수실
        시라, 차 한 잔 건네며.

시라   (살피며) 근데 어쩐 일이세요?

수현, 그런 시라를 잠시 바라보다가.

수현   피해자 정보, 다시 주세요.

시라   (무슨 소린가 싶어) 네?

수현   선율인 제가 찾던 사람이 아닙니다. 교수님.

시라   (순간 심장이 쿵… 말문 막힌 채!)

그런 시라를 단호하게 바라보는 수현의 눈동자.

17씬   **D, 대학 캠퍼스**

걸어 나오는 수현 위로.

시라 e   (정말 어렵게) 실은… 제 조카, 오랜 친굽니다.

18씬   **(회상) D, 교수실**

시라, 쉽게 입이 안 떨어지지만….

시라   그 아이가 얼마나 고통 속에 살았을지 짐작도 못하실 겁니다.

수현   그게 교수님 행동에 정당성을 줄 순 없습니다.

시라   (차마…) 알아요… 상담 기록 유출에 피해자까지 바꿔치기 했으니…
신고하셔도 할 말 없습니다.

시라, 처분을 바라겠다는 듯 담담하게 고개 숙이고…
그 모습을 잠시 바라보던 수현.

수현	복수를 끝내고 나면 어떨 거 같아요?
시라	(흠칫)
수현	분명, 해야 할 일을 했음에도, 달라지는 건 아무것도 없다는 걸 깨닫는 순간이 와요. 그때부턴 살아 있어도 죽은 거나 다름없어요.
시라	(…)
수현	그 애가 그렇게 살게 내버려 둘 순 없어요, 그 화재 피해자도요.
시라	(부끄럽고)

19씬 D, 대학교 주차장, 수현의 차 안

운전석에 타는 수현, 천천히 손에 쥔 쪽지를 펼치면,

<권민혁, 경기도 상흔시 염증동 404호 010-***-****>

시라 e	늦어서 죄송합니다.

수현, 쪽지를 내려다보는 눈빛.

20씬 D, 민혁의 낡은 아파트 앞

민혁, 어디서 또 얻어터지고 절룩거리며 걸어오는데,

저 앞에 서 있는, 수현이다.

민혁	(피 섞인 침 뱉어 내고는) 당신이야? 전화한 사람?
수현	(…)
민혁	줄 게 뭔데? 왜? 그 인간이 돈 좀 더 남겼나? (순간 눈빛 매서워지며) 설마, 나더러 용서해 달라고 온 건 아니지?

수현	일기장, 받았다고 들었어요.
민혁	(일기장 소리에 발끈) 그깟 게 뭐? 남의 부모 죽여 놓고 미안하다 하면 다야?!
수현	(묵묵히 들어주는…)
민혁	왜 뒤졌대? 원망도 못 하게 왜, 그 인간 나오면 내가 죽여 버리려고 했다고!
수현	(…)
민혁	(무섭게) 돈 줄 거 아님 당장 꺼져. 한 번만 더 그년이든 그년 일기장 얘기로 찾아오면 죽여 버릴 줄 알아. (들어가는데…)

수현, 그런 민혁을 잠시 바라보다가….

수현	그래서, 앞으로도 계속 이렇게 살 거니.
민혁	(멈칫) 뭐?
수현	너 이렇게 살아도 돌아가신 네 부모님 안 돌아와. 네 인생 망치는 게 복수면 그건 누구한테 하는 복수야.
민혁	(한 대 칠 듯 주먹 거머쥐고) 닥쳐, 씨! 뭘 안다고!
수현	나도 네가 겪은 거 다 겪어 봤어. 아들을 억울하게 잃었고, 복수했고, 내 인생도 버려 봤어.
민혁	(순간 흠칫)
수현	그래도 난 다시 제대로 사는 걸 선택했어. (단호) 너도 선택해. 계속 이 꼴로 살든, 네 부모님 몫까지 제대로 살든.
민혁	(처음으로 조금 흔들리는…)
수현	(시라 명함 주면서) 네가 생각하는 것보다 널 돕고 싶어 하는 사람은 많아. 선택하면 연락해.

그렇게 민혁을 뒤로한 채 돌아서는 수현.

민혁, '뭐야 저 여자…' 싶으면서도… 그러면서도…
아무도 자신을 버러지 취급만 했지, 도와주고 싶단 소린 처음이라…천천히
자신의 꼴을 내려다보는데… 순간 복잡한 감정이 차오르고.
그 감정으로 멀어지는 수현을 다시 바라보는 민혁의 흔들리는 눈빛.

21씬　　　**D, 한적한 곳**
세워 둔 수현의 차.
이만큼 떨어진 곳에서 수현, 호수를 바라보다가… 문자 보내는.

수현 e　　　그 아이, 다시 치료 받을 겁니다. 제가 마지막까지 책임지겠습니다.

시라에게 전송하고는…
그제야, 형자와 함께했던 순간들 파노라마처럼 지나가며.

플래시백
수현의 머리 감겨 주고, 양동이 대신 들어 주는 형자. (2화 30씬)
수현이 준 돋보기 쓰고 웃는 형자. (2화 32씬)
수현에게 꽃잎 날려 주는 형자. (2화 44씬)
무대에서 노래 부르는 형자. (2화 45씬)
형자가 내민 손 잡는 수현. (2화 46씬)

형자　　　너만큼이나 힘든 시간을 버텨 왔을 그 아이도… 아픔과 잘 이별할 수 있도록
네가 좀… 도와줄래…? (2화 49씬)

수현　　　언니… 이제야 제대로 전달했어….

다시금 저 멀리 바라보는데….

22씬　　**D, 의원실**

선율, 김준과 마주 앉은 채.

비서관, 그림 포장 커터 칼로 쭉 찢으면 나오는 USB.

그림과 USB를 내려놓는 비서관.

김준　　(선율이 가져다 준 그림을 보며) 이게 얼마짜리고.

비서관　　(뒤에서) 50억입니다.

김준　　(비서관에게 건네며) 비싼 그림이니 잘 걸어 둬라. (그래 놓고는 선율을 보며) 그래, 직
　　　　　접 할 말이 뭐꼬.

선율, 잠시 김준을 바라보다가.

선율　　저번에, 부탁하셨던 USB.

그러면서 내미는 걸 김준, 집어 들고 보는데, 수호의 불륜 사진.

그걸 보는 김준의 눈빛 위로.

플래시백　(5화 34씬)

수호　　얼마 전에 아내가 출처 없는 선물을 하나 받았습니다. 혹시, 의원님께서 보내
　　　　　셨습니까.

김준　　(누구 짓인지 알 거 같은 눈빛으로) 누구 짓이고.

선율	(흔들림 없이) 제가 보냈습니다.
김준	(서늘하게 눌러보다가) 니 아부지 땜에 그랬나.
선율	(…)
김준	그 여자 감옥 가 있는 동안 여태 그 남편을 쫓아다닌 기가.
	그 여자 괴롭힐라꼬?
선율	제 부모 건드린 사람은 용서 안 합니다.

선율, 단호한 눈빛으로 김준을 바라보고.
김준도 묘한 마음으로 선율을 바라보다가….

김준	선율아. 내 어른으로서는 용서하라 카는 게 맞는데, 네 원한이 얼마나 깊었으
	면 그랬겠나. 참… 말리지도 못하겠고.
선율	의원님 청와대 가시는 길에, 강수호가 방해되지 않게 하겠습니다.

그 말에 다시금 그렇게 부딪히며 서로를 보는 두 사람의 눈빛에서.

23씬   **N, 암실**

한쪽에 놓인 아이패드에서 영상 재생되고 있고.

아이패드 영상

수현	후회하지 않습니다. (1화 48씬)

선율, 걸어 들어오는 가운데,
건조대에 주욱 걸려 있는 사진 속 수현의 모습들.

한의원에서 고은과 명희를 챙기던. (7화 17씬)

고은의 식당에서 고은과 유리와 함께 웃던. (6화 50씬)

묘목을 심는 수호 옆에서 텃밭을 함께 가꾸던. (6화 25씬)

태호를 만나 반가워하던. (3화 33씬)

유리와 행복하게 웃던. 등.

가족 속에 함께 있는 수현의 모습 위로.

수현 e   내 가족은 안 돼.

그렇게, 제일 끝에 걸린 사진 앞에 서는 선율.

수현 e   나에 대한 분노로 내 가족을 건드리는 건, 그것만큼은 안 돼.

차가워지는 선율의 눈빛, 그때.

은민 e   선율아~!

선율, 소리 나는 쪽 돌아보면.

24씬   **(회상) D, 병실**
초등학생 선율(8세), 케잌 촛불 '후~!'
은민, 지웅, "축하해! 우리 아들!"
세 사람, 서로를 꼭 안아 주며 토닥이는.

| INS | *암실, 점점 눈물이 차오르는 선율, 그때.* |

| 지웅 e | (신나서) 선율아! |

또 소리 나는 쪽 돌아보면.

| **25씬** | **(회상) D, 병실** |

고등학생 선율(18세), 전교 1등이 찍혀 있는 성적표 내밀고.

지웅	이야~! 우리 아들 또 1등? 아, 누구 닮은 거야?
은민	(신나서) 머리는 나 닮았죠.
지웅	(좋아서 발끈) 아, 뭔 소리야, 내가 안 해서 그렇지 나 닮았어!
선율	(두 사람 옥신각신 하는 모습에 웃음이 나고)

그렇게 행복한 세 사람의 웃음소리 점점 작아지며.

현재 암실
선율의 뜨거워지는 눈가.
나에게도 목숨처럼 소중한 가족이었기에…!

| 선율 | 내 가족도 건드리지 말았어야지. |

선율, 앞에 걸린 사진 한 장 확 잡아떼며 바라보는 차가운 눈빛.
여기서는 보이지 않는 사진. (에필로그에 나올)

26씬	N, 하남 돼지집

식당 직원, 고기를 구워 주고 가면 명이나물에 싸 먹는 한상.
그 앞에 앉아 쳐다보는 수호를 향해.

한상	일하느라 이제 밥을 먹어. (먹으며) 구워 주니까 편하네. 더 맛있다.
수호	(마음 좀 급하고) 확인해 봤어?
한상	어 그 갤러리, 김준 비자금 창구 같아.
	네가 말한 대로 최근 해외로 나간 미술품만 수십 점이 넘어.
수호	돈이 흘러간 루트는?
한상	일단 현지에 있는 애들한테 부탁해 놨어. 답이 올 거야.
수호	(곰곰 생각하다가) 참, 걔는 어떻게 됐어? 사진 보낸 놈 맞아?
한상	아 그게, 알아보고 있긴 한데 (머뭇) 것보단.
수호	왜.

한상, 그런 수호 앞에 내미는 것, 다름 아닌.

<수현과 선율이 함께 있는 사진> (5씬)

순간 수호, 놀라 사진 속 두 사람을 쳐다보는데!

27씬	N, 수현의 집, 거실

수현, 차 한 잔 앞에 두고 책 읽다 말고… 그 위로.

플래시백 컷컷으로 떠오르는.
수현을 몸으로 막아 주던. (4화 11씬)

폐차장에서 함께 밥을 먹던 "이런 건 안 아파요." (5화 40씬)

미친 듯이 심폐소생술 하던 선율. (6화 4씬)

"사람 죽는 거… 보는 거 싫어요." (6화 5씬)

수현의 말에 낮게 피식 웃던 선율. (6화 58씬)

수현, 마음이 복잡한… 집중이 안 되는 듯 책 탁 덮는 그때,
급하게 현관문 열리며 들어서는 수호의 모습에.

수현	이제 와?
수호	(수현을 보니 바로 묻고 싶다만 일단은) 어, 책 읽고 있었어?
수현	(머쓱) 으응. 집중이 잘 안 되네. (일어나며) 씻어.
수호	(그런 수현을 잠시 보다가) 참, 나 한상이 형… 만났어.
수현	그랬어?
수호	형이 안부 전해 달래. 엊그제 당신 봤다더라고.
수현	근데 왜 인사 안 했대?
수호	당신이 어떤 남자랑 같이 있어서 아는 척 못 했다는데?
수현	(아… 선율이랑 같이 있는 걸 봤구나…)
수호	(살피며) 누구?
수현	(난처하지만) 어?
수호	(보면)
수현	(차마…) 일기장 줬던.
수호	(놀라) 걔가 그 화재 피해자라고?!

수호, '김준 밑에서 일하는 놈이 화재 피해자?' 그런다.

| 수호 | (좀 못마땅한 마음으로) 근데, 걘 왜 자꾸 만나? |

수현	(차마…)
수호	다른 사람들 보기에도 그렇잖아. 그런 애랑 다니다가 괜히 말 생기면 피곤해 져. 이제 진짜 만나지 마.

그렇게 단단히 주의 주고는 들어가는 수호의 뒷모습을 보는데…
수호가 다 알게 된다면 차마… 더욱 복잡해지는 수현의 마음.

28씬　　　　**N, 서재**
　　　　　　　수호, 씻고 나와서는 컴퓨터 앞에 앉자마자,
　　　　　　　바로 양평 펜션 화재 사건 기사를 검색하는데
　　　　　　　어째 촉이 이상하다. 예사롭지 않게 훑어보는 수호의 눈빛에서.
　　　　　　　(F.O)

29씬　　　　**(F.I) D, 한국대 병원 외경**

30씬　　　　**D, 행사장 (소아 병동 휴게실 정도의 소규모)**
　　　　　　　'준성 복지 재단 심장병 어린이 새 생명 행사' 현수막 보이고,
　　　　　　　환우회 환자들과 가족들, 병원 관계자들 앉아 있고.
　　　　　　　김준, 그 앞에 나와 서는 위로,
　　　　　　　카메라 기자들, 연방 플래시를 터뜨리고.

김준	안녕하십니까. 준성 복지 재단의 이사장 김준입니다. 이렇게 어렵고 힘든 시간을 지나고 계신 와중에 뜻깊은 행사에 참여해 주신 우리 환우회 가족 여러분들 모두 감사드립니다.

튼튼한 심장으로, 이 나라의 미래를 이끌어 갈 훌륭한 인재가 될 수 있도록
이 김준이! 여러분 곁에 끝까지 함께 있겠습니다.

다시 터지는 박수 소리.
김준, 후원금 전달하면 환우회 관계자가 받고,
환우회 아이들 앞으로 나와 김준을 둘러싸고.
김준, 눈높이 맞춰 주고, 쓰다듬어 주고, 안아 주고,
아이들이 직접 구운 쿠키도 선물로 받고.
"하이고~ 이 아까븐 걸 우예 먹노!"
그 위로 계속 번쩍이는 플래시들.

31씬   **D, 병원**

수현, 막 들어서는데,
준성 복지 재단 심장병 어린이 새 생명 행사 플래카드 속, '김준'
잠시 바라보는 시선… 그때, 저만치 태호… 양팔 흔들며~

태호   형수님~!

32씬   **D, 14층 의국**

태호, 수현이 사 온 치킨을 휴대폰으로 찍다가. (치킨 인서트)

태호   와! 저 이 집 통닭 진짜 먹고 싶었는데!
        역시 내 맘 알아주는 건 우리 형수님밖에 없다니까!
        (한입 먹고) 와 대박! 겉은 바삭 속은 촉촉!

수현	(미소) 많이 사 왔으니까 외국 사람들 하고도 나눠 먹고.
	(보다가) 근데 저번에 얘기한 선율이….
태호	아 맞다. 선율이요. 걔 엄마 땜에 자퇴했대요.
수현	(눈빛)
태호	엄마가 사고를 당해서 청원도 넣고 그랬었나 봐요.
수현	어떤 애였어?
태호	인기 많았을 걸요. 얼굴만 봐도 치료될 만큼 잘생겼지, 인성도 좋아서 남 잘
	챙겼지, 신이 심장 빼고는 다 몰빵해 준 거죠.
수현	(그런 애였는데…)
태호	근데 형수님은 선율이한테 왜 그렇게 관심이 많으세요?
수현	(흠칫)
태호	아는 사이시면 직접 물어보시면 되잖아요.
수현	이런 얘기… 직접 물어보긴 좀 그렇잖아. (얼른) 그, 김은민 씨 병원비는 알아
	봤어?
태호	준성 복지 재단에서 내주고 있던데요. 며칠 전에는 VIP 병실로도 옮겼어요.
수현	준성 복지 재단?

33씬　　D, 엘리베이터

김준과 비서관 타 있는 엘리베이터 14층으로 올라가고.

비서관	말씀하신 대로 VIP 병실로 옮겼습니다.
김준	잘했다. 그 정도 성의는 보여야 안 되겠나.

엘리베이터 멈추면, 내리는 김준과 비서관.

34씬	**D, 14층 복도**

수현, 태호와 헤어져 걸어 나오면서도 준성 복지 재단이라…

아까 봤던 플래카드 속 떠오르는 김준의 얼굴.

그때, 엘리베이터 열리며 내리는 장정들과 비서관.

그 뒤로 경호를 받으며 내리는 김준.

그렇게 수현을 스쳐 지나가면.

서서히 돌아보는 수현의 시선에,

저만치, 1405호 앞에 멈추어 서는 김준의 무리들.

잽싸게 문 양쪽으로 서는 장정들과 문 열어 주는 비서관.

그 안으로 들어가는 김준.

수현	(어?)

35씬	**D, 1405호**

수진이 지켜보는 가운데, 김준, 은민의 손을 꼭 잡고.

김준	제수씨, 우리 선율이 위해서라도 꼭 깨어나십시오.

36씬	**D, 병원, 지하 주차장**

수현, 걸어오는데 방금 전 1405호로 김준이 들어간 게 신경 쓰이고.

cut to 동.

막 지상으로 올라오는 수현의 차.

그때 저기 병원 현관 입구에 바삐 나오는 김준과 그 무리들이 보이고.

수현, 지나쳐 가면서 백미러로 보면.

대기하고 있던 차에 김준, 황급히 올라타고.
운전기사 내리면 비서관이 직접 운전하는 게 보이고.

37씬   **D, 도로, 횡단보도 앞**

달리는 수현의 차와 김준의 차.
어쩌다 보니 계속 동선이 겹치고.
어느 순간, 수현의 차를 앞질러 나가는 김준의 차.

38씬   **D, 병원 행사장**

e   얘들아~~

심장병 환우들, 풍선과 페이스 페인팅 해주던 봉사자들. 일제히 돌아보면, 두
팔 벌리고 서 있는 수진의 모습에.

환우들   누나다! / 언니!

달려와 안기는 아이들을 꼭 안아 주는 수진.
마침 태호, 그 앞을 지나가다가 저기 환하게 웃고 있는 수진 모습에.

태호	(반갑고 또 설레고) 어?

수진, 아이들에게 터프팅 작품 하나씩 나눠 주는데.

태호 e	어른도 주나요?
수진	(고개 들면 태호다. 반가워서) 그럼요! 뭘로 하실래요?
태호	이왕이면… (가리키며) 하… 하트로?

39씬	**D, 병원 로비**

명희, 들어오는데, 마침 저기 걸어오는 태호 모습에 부르려는 순간,
그 옆에 다정하게 얘기하면서 걸어오는 수진이 눈에 들어오고.

컷 튀면.

수진을 배웅하고 돌아서는 태호.

태호	(예스!) 아싸, 이번 주 토요일! 뭐 입지? (순간 화들짝) 엄마야!

앞에 쇼핑백 들고 서 있는 명희의 모습에.

태호	(흠칫) 엄마, 여긴 웬일이에요?
명희	속옷 좀 챙겨 왔어. 하도 집에 안 오니 이렇게라도 얼굴을 봐야 어떡하니. (그러면서 쓰윽) 누구니.
태호	(얼버무리며) 어어, 그냥 환자 보호자. (마침 호출 오고) 엄마, 나 호출! 간다~ (뛰어가면서) 조심해서 가.

남겨진 명희, 다시금 수진이 간 곳 쳐다보는데.

명희   (눈빛) 환자 보호자?

40씬   **N, 수현의 집 앞 골목**
           수현의 차, 막 골목으로 진입하는데 저 앞에 또 보이는 김준의 차.
           이상하다 싶은 그 순간, 수현, 브레이크.

           혜금의 집 앞, 비서관, 황급히 뒷좌석 문 열고.
           김준, 그대로 혜금의 집으로 들어가면,
           비서관 차 몰고 사라지는.
           목적지가 혜금의 집일 줄은….

41씬   **N, 혜금의 집, 거실**
           혜금, 조금 겁에 질린 채 바라보는 앞에 서 있는 김준.

김준   (알 수 없는 눈빛으로) 이리 온나.

           그 소리에 혜금, 두렵게 김준에게로… 그렇게 마주 서는 순간,
           김준, 혜금에게로 손 뻗으며 혜금의 등을 끌어와 안는.
           (오랫동안 이렇게 길들여진) 혜금, 김준의 품에서 눈 질끈 감는데….

김준   혜금아.
혜금   (떨리는) … 네.

김준	희재 데리고 잠깐 나가 있그라.
혜금	(쿵…!)
김준	내가 가는 길에 잡초가 되면 뽑힌다. 알아 듣재?
혜금	(하얗게 질리는…)

42씬　　**N, ABS 보도국**

cut to　뉴스 화면 속에서는 김준의 모습.

앵커 e	오늘 오후 한국대 병원에서 소아 심장병 환우회 행사가 열렸습니다. 본 행사에 한국연합당 김준 의원이 환우회를 후원하는 준성 재단 이사장 자격으로 참석해 기부금 5억을 전달했습니다.

수호, 그걸 보면서도 계속 머릿속으로는.

플래시백　선율의 얼굴. (7화 35씬)

수호 e	(갸웃) 김준 밑에서 일하는 놈이 내 와이프가 찾던 놈?

그때, 타 방송 뉴스 속보가 뜨고.
<자현당 민형석 사퇴. WBN 단독. 영상 자료 없음. 자현당 측 당혹.>

컷 튀면.

정신없는 보도국. 기자들 서류 들고 이리저리 뛰어다니고,
전화 계속 울리고 한쪽에서는 계속 통화 중인.

'아니 그게 왜 WBN 단독으로 갔냐고요! 이래도 되는 거야?'

'박 기자님 너무 하는 거 아닙니까? 국민의 알권리가!'

'쾅!' 그 위로 책상 내려치는 소리와 함께.

43씬　　　**N, 회의실 (혹은 사장실)**

사장, 상석에 앉아서 흥분한.

사장　　　정신들 안 차려!

수호의 팀원들 모두 굳은 채 앉아 있는 가운데.

사장　　　이깟 비상 대책 회의만 하면 뭐해! 강 국장! 옆 채널에서 잔치 열 동안 너넨
　　　　　초상만 치르고 있을래?!

수호　　　(굳은 채) 다음 주 뉴스 초대석 제대로 준비해 보겠습니다.

사장　　　누구?!

수호　　　(잠시… 그러다) 김준입니다.

팀원들　　(서로 눈 마주치고)

사장　　　(의심) 대선 앞두고 방송국 출입도 안 하고 있는데, 가능하겠어?

수호　　　(단호) 해 보겠습니다.

44씬　　　**(F.I) D, 수현의 집 외경**

45씬　　　**D, 수현의 집, 거실**

출근하며 나서는 수호와 배웅하는 수현.

수호   오늘 집에 있어?

수현   이따 엄마랑 유리랑 보기로 했어.

그때.

e   (초인종 소리) 딩동.

수현/수호   (이 아침에 누구?)

46씬   **D, 수현의 집, 대문 앞**

나와서는 수호 앞에 난감하게 서 있는 남자(용구).

수호   무슨 일이시죠?

수현   (뒤따라 나오는데)

남자   (다급) 이주 전에 여기 차 세워 놓으셨어요? 제가 접촉 사고가 났는데 진짜 억
            울한 일을 당해 가지고 그거 찍혔는지 확인 좀 해 주심 안 돼요?

수호   (난감)

남자   (울컥) 제발 부탁드립니다….

수현   (억울하다고 하니…) 그때면 나 엄마 집에 있을 때라 내 차는 안 찍혔을 거야.

수호, '그래. 도와주자.' 싶어서, 차에서 SD 카드 빼 수현에게 주고.

수호   확인해 줘.

남자   감사합니다! 정말 감사합니다!!

수호	(남자에게 가볍게 목례하고는 수현에게) 다녀올게.
수현	(따뜻한 미소로) 운전 조심해.

그렇게 출발하는 수호의 차.

수현	(남자를 향해) 날짜랑 시간대 알려 주세요.
남자	(가방에서 펜과 엽서 꺼내 전화번호와 날짜 적어 건네며) 여기.
수현	찾아보고 연락드릴게요.

47씬   **D, 수현의 집, 거실**

수현, 막 노트북에 블랙박스 SD 카드 넣고는,
적어 준 엽서 속, 날짜 확인하는데.

cut to   노트북 화면에 뜨는 날짜별 블랙박스 영상들.
그 남자가 말한 날짜 어디에도 영상은 찍히지 않은.

수현	(적어 준 휴대폰으로 걸며) 여보세요, 확인해 봤는데 블랙박스엔 찍힌 게 없네요.

그러면서 생각 없이 엽서를 돌리는데, <프란체스카와 파올로> 그림.
이때는 대수롭지 않게 그저 무심히 바라보는 눈빛 위로.

48씬   **D, 폐차장 사무실**

남자	(통화) 네. 정말 감사합니다. (끊고 모자 벗으면 용구였고) 확인했대.

그 앞에 앉아 있는 사람, 선율이다.

용구   근데, 그 차 블랙박스는 왜 보게 하려는 거야?

선율   (눈빛) 거기서 뭘 봐야 할 게 있어.

49씬   **D, 수현의 집, 거실**

수현, SD 카드 빼려는데, 남자가 부탁한 날짜에 섬네일 하나가 눈에 들어오고,

<유리와 수호가 함께 서 있는>

플래시백   (7화 47씬)

유리   실은… 그 날, 엄마 집에서 언니 본 날, 내가 좀 감정이 격해져 가지고… 수호

         씨한테 막 뭐라 했어.

수현   그날인가 보네.

때마침 울리는 휴대폰. 액정 '유리'

수현   (SD 카드 빼서 주머니에 넣으면서 전화 받으며) 어 유리야.

50씬   **D, 청담 숍 대표실 / 수현의 집, 거실 (교차 / 통화)**

유리, 새 만년필 상자를 앞에 두고서.

유리   (호들갑) 언니! 대박 소식! 출판사에서 언니 책 내자고 제안 왔어!

(장난 섞인) 아~ 진짜! 아직도 내가 언니 매니저인 줄 아는 거 있지!

수현　(머쓱) 어어….

유리　근데 나 왜 이렇게 좋냐, 다시 예전으로 돌아간 거 같아.

　　　　언니, 글 다시 써 보는 거 어때?

수현　내가 무슨 자격으로.

유리　(발끈) 그런 말이 어딨어. 언니 글 좋아하는 사람들 얼마나 많은데… 언니, 내

　　　　가 가장 그리운 순간이 언젠 줄 알아?

수현　　…

유리　(진심으로) 언니가 낮에는 강단에 서고 밤에는 글 쓰고… 그렇게 반짝반짝 빛

　　　　나던 그때.

수현　(먹먹해지는…)

그때 밖에서 들리는 어수선한 소리. 누군가의 비명 소리도 얼핏.

수현, 뭔가 싶어 내다보는데, '흠칫!'

수현　유리야. 나중에 다시 통화하자. (끊고는 황급히 뛰어나가고)

cut to　D, 청담 숍 대표실

유리, 수현에게 선물하려고 산 만년필을 열어 보더니 뿌듯해 하는.

51씬　**D, 수현의 집 앞**

하나둘 모여드는 사람들과 아이들.

그 사이로 바닥에 쓰러져 누워 있는 아이의 발.

"저저저…" / "어떡해." / "불쌍해라."

구경하는 사람들. 무섭다는 아이의 눈을 가려 주는 부모.
그 누구도 선뜻 나서지 못하는 그때.

달려오는 수현. 누워 있는 아이, 희재였다.

수현　　　(허!)

다급하지만 침착한 손길로 희재의 고개를 돌리고.
얼른 셔츠의 단추를 하나둘씩 풀어 주고 응급 처치를 해 주고는,
천천히 구경난 사람들 말없이 올려다보면,
그제야 수현의 눈치를 보며 흩어지는 사람들. 그때,
'끼이이익!' 퇴근하고 들어오던 혜금의 차.

혜금　　　(문 열고 미친 듯이 달려오며) 희재야!!

52씬　　　D, 혜금의 집, 거실
수현과 혜금, 희재의 팔을 양쪽에서 부축해 함께 들어오고.
희재가 휘청하자, 수현도 함께 휘청하며 선반에 올려진 컵을 어깨로 치는 바
람에 떨어지기 직전.
다시 제자리로 놓을 겨를도 없이 희재를 부축해 방으로.

53씬　　　D, 희재의 방
수현과 혜금, 함께 희재를 침대에 눕히고.
잠드는 희재를 쓰다듬는 혜금을 보다가 수현, 먼저 나오고.

54씬	D, 혜금의 집, 거실

수현, 나가려다 문득, 조금 전에 어깨로 친 컵을 봤고.

INS	두오모 성당 앞, 혜금과 희재 얼굴이 프린트된. *(4화 17씬)*

혜금 e	희재랑 처음 같이 간 해외여행에서 찍은 거예요.

수현, 혜금의 컵이 떨어지지 않도록 제대로 놓는… 그 순간이었다.
컵에 새겨진 무언가를 본 수현의 눈동자, 점점 요동치고.

수현, 내려다보고 있는 곳. 컵 아래 찍힌.

<2017. 12. 24.> (c.u)

INS	불륜 사진 속 날짜 <2017. 12. 24.>

날짜가 같다…!

마침, 방에서 나오던 혜금도 그런 수현의 모습에 마음이 괴로운데…

혜금	(더는 견디기 힘든 마음으로…) 건우 엄마….

수현, 천천히 돌아보는 눈빛.

55씬	D, 수현의 집, 거실

그렇게, 수현과 마주 앉은 혜금.

수현   (차분) 당신이 아니군요. 사진 속 여자.

혜금, 차마… 그대로 수현 앞에 무릎 꿇고는.

혜금   (울컥) 잘못했습니다.

수현   (…)

혜금   제가 거짓말 했어요. 사진 속 여자, 저 아니에요.

수현   앉아요.

혜금   (떨리는…)

수현   어서요.

혜금   (하는 수 없이 다시 소파에 앉으면…)

수현   왜 그랬어요? 그날, 한국에 있지도 않으면서 왜 거짓말했어요.

혜금   희재… 지키려고….

수현   누구로부터요.

혜금   (차마…) 더는 말할 수 없어요….

수현   (잠시 눌러보다가…) 김준, 때문인가요?

혜금   (순간 입 벌어지고!)

수현   당신 집에 들어가는 거 봤어요. 두 사람, 무슨 관계예요?

그 단호한 수현의 눈빛에, 혜금의 눈빛 흔들리는… 위로.

수호 e   윤혜금 씨와 김준 관계 다 압니다.

56씬	**(회상) N, 금 갤러리 내부 카페**
	수호 앞에 얼어붙은 채 앉아 있는 혜금으로 오버랩 되며….

수호	여기서 돈세탁을 돕는 것도.
혜금	(허!)
수호	윤혜금 씨를 궁지로 몰기 위해 온 게 아니에요.
	그렇지만 이제라도 빠져 나와야 해요.
혜금	(두렵고) 어떻…게?
수호	저, 오래전부터 김준을 파 왔어요. 그런 사람은 대통령 돼서는 안 돼요. 우리,
	같이 막읍시다.
혜금	(순간 떨리지만… 이내 곧) 전, 못해요.
수호	희재 엄마.
혜금	계속 파 왔으니까 아실 거 아니에요? 그 사람, 무서운 사람이에요.
수호	김준이 자기 자식이라고 봐줄 거 같아요?
혜금	(심장이 '쿵!')
수호	오히려 대통령이 되기 위해서 당신과 희재부터 꼬리 자르기 할 겁니다. 희재
	를 인질로 잡고 지금까지 저지른 모든 불법! 전부 윤혜금 씨한테 뒤집어씌울
	거라고요. 그땐, 희재 안위 보장 못 해요.
혜금	(떨리는 눈동자)

57씬	**(현재) D, 수현의 집, 거실**
	수현 앞에 털어놓는 혜금….

혜금	당신 남편이 지켜 준다고 했어요….
수현	(허…) 거래를 했군요.

혜금	(고개 떨구는…) 한 번의 실수로 건우 엄마를 무너지게 할 순 없다고. 여기서 더 나쁜 놈이 되더라도, 그게 당신을 지키는 거라고.
수현	(허…!) 살면서 꼭 한번은 갚겠다더니 이게… 나에 대한 보답인가요?
혜금	(그만 울컥) 그 여자, 당신이 알면 안 된다고 했어요….

순간, 그 말에 수현의 눈빛, 서서히 얼어붙고.

58씬 **D, 의원실 복도에서부터 ~ 엘리베이터 앞까지**
김준, 비서관과 함께 이동 중이고.

김준	다음 스케줄은?
비서관	(브리핑) 오후 일정은 여섯시 반에 각 당 대표님들과 만찬 모임 있습니다. 그 전에 경제인 협회 컨퍼런스는 만찬 장소까지 이동 시간 고려해서 30분 전후로 얘기해 놨습니다.
김준	알았다.
비서관	그리고, 강수호 뉴스 초대석에서 섭외 요청 왔습니다.
김준	(그제야 비서관을 바라보더니) 와, 불러 놓고 내 등에다 칼 꽂고 싶은가 보재. (그래 놓고는 의미심장한 눈빛으로) 줘 봐라.

비서관, 얼른 선율이 준 사진을 건네면.

김준	(속을 알 수 없는 눈빛으로) 내도 무기 하나 들고 갈까.

59씬 **D, 국장실**

수호, 일 하고 있는데 노크 소리와 함께.

피디	국장님! 김준 출연한답니다!
수호	(담담한…) 방송 준비 잘해 보자고.
피디	네! (서류 주며) 참, 이거 윤 기자가 국장님이 부탁하신 거라고.
수호	어. 고마워.

피디가 나가기를 기다렸다가 수호, 얼른 자료 꺼내 보는데,
<양평 펜션 화재 피해자 정보> 이름, 권민혁, 사진, 민혁의 얼굴.

| 수호 | (허!) |

그때 울리는 휴대폰. 액정 '이한상'
수호, 급하게 받는 위로.

한상 e	야! 네 촉이 맞았어.
수호	(눈빛) 나도 지금 확인했어. 그 새끼 아냐.
한상 e	근데 너, 걔 누군 줄 아냐?!
수호	(어째 느낌이 쎄하고) 누군데?

그 위로, '끼이이이익!' 급브레이크 소리와 함께.

| 60씬 | D, 폐차장 |

수호의 차 멈춰 서고.
수호, 급히 내리며 분노 가득한 눈빛으로 폐차장 올려다보는 위로.

| 한상 e | 권지웅 아들이야! |

61씬　　　D, 폐차장 사무실

수호, 문이 부서져라 여는데 텅 빈.
날카로운 눈빛으로 사무실 스캔하면,
한쪽에 놓인 카메라들. 필름, 카메라 렌즈들 종류별로.
그쪽으로 다가가는 수호. 책상 한가운데 놓여 있는 뒤집어진 사진 한 장.
천천히 집어 드는데 보란 듯이 놓여 있는 수호의 불륜 사진.
'이 개자식이…!'

62씬　　　D, 허름한 방석집 (술집)

선율, 사진 한 장 쥔 채, 허름한 술집 앞에 서서 올려다보면,
<목련>이라고 쓰인 간판.
그때 갑자기 '악!' 소리를 내며 목련, 머리채를 잡힌 채 끌려 나오고.

여자	내 돈 어디로 빼돌렸어!
목련	내가 너한테 받은 게 없는데 왜 지랄이야아!
여자	저 인간이 갖다 바친 돈 내 돈이야, 내 놔!!

목련, 머리채 잡힌 채 가게 안쪽 보면
가게 문간에 서서 말리지도 못하고 눈치만 보고 있는 중년 남자.

| 목련 | (그 와중에 눈웃음) 사장님 들어가 계세요. 내가 정리하고 들어갈게~ |
| 여자 | 허! 내가 눈앞에 있는데도 꼬리를 쳐?! |

목련   아우 아파! (그러다 덥석 여자의 머리채 잡으며) 아프다고!!

우악스럽게 싸우는 둘을 바라보던 선율.
사진 속, 술에 찌든 술집 작부의 얼굴을 비교하고는.

선율   (목련을 의미심장하게 바라보며) 닮았네.

바라보는 선율의 눈빛.

63씬   **N, 수현의 집, 거실**
수현, 불도 켜지 않은 채 어둠 속에 그대로 앉아 있는… 그 위로.

혜금 e   그 여자, 당신이 알면 안 된다고 했어요….

계속 그 말이 머릿속에 맴돌고…
그러다 저기 책상 위에 보이는 엽서.
그제야 조금씩 굳어지는 수현의 눈빛.
다급하게 엽서를 집어 들고 <프란체스카와 파올로> 그림을 보는데.

수현   (읊조리듯) 사랑하는 두 사람에게 배신당한….

엽서를 바라보는 수현. 이제야 알겠다. 이걸 누가 보냈는지….

수현   (굳어지며) 선율이가 보냈구나.

그때 울리는 전화. 액정 '엄마' 깜빡 잊고 있던 약속이 그제야 생각나고.

수현   (애써 힘든 내색 감춘 채) 어… 엄마. 지금 출발하려고.

64씬   **N, 청담 숍**

유리, 직원들과 바쁘게 일하는 가운데.

직원1   (들어서는 수현을 향해) 어? 안녕하세요?
유리   (반가워서) 언니~!

수현, 막상 유리와 눈이 마주치자 마음이 복잡해지고.
모든 게 한 사람을 향해 가고 있지만 그래도 믿고 싶지 않은.

수현   (애써) 어어….
유리   (해맑게) 먼저 내 방에 가 있어. 나 빨리 마무리하고 갈게.

웃는 유리의 얼굴을 보니 마음이 더 복잡해지는 수현.

65씬   **N, 청담 숍 대표실**

수현, 그렇게 들어와 앉는데 어쩐지 좀 갈피가 안 잡히는 마음.
그러다 주머니에 손 넣는데 뭔가 잡히는 것. 꺼내 보면,
아까 낮에 주머니에 넣어 둔 SD 카드.
멍하니 보다가 도로 집어넣으려는데 순간,
저기 책상 위 유리의 노트북을 바라보는데, 흔들리는 수현의 눈빛.

컷 튀면.

'믿든지, 덮든지 뭘 하든 그러려면 내 눈으로 정확하게 확인하자.'
그렇게 아까 본 섬네일을 클릭하는 수현.

화면   그날의 영상 (수현의 집 대문 앞, 5화 52씬)

유리   언니가 울어요.

그 말에 수호, 가슴이 아프고… 돌아서는 위로.

유리   잘 살겠다며…! 사람들 앞에서 약속했잖아!
(울컥) 앞집 여자라고요…?!

'지금이라도 꺼 버릴까….' 또 떨리는 수현의 눈동자.

66씬   N, 동, 청담 숍
유리, 아무것도 모른 채 정신없이 마무리 작업을 하는 그때.

직원   (좀 난감한) 저… 대표님…?
유리   왜.
직원   어머니… 오셨…는데요?
유리   (고은이 왔다는 생각에 반가워서) 빨리 왔네?

밝은 얼굴로 돌아보며 나서는 순간, 천박한 차림으로 서 있는 여자, 목련이다.

유리	(심장이 쿵…!)
목련	유리야~ 엄마야~

얼어붙는 유리의 얼굴 위로.

어린 유리 e	(비명) 아아아악!

67씬   **(회상) N, 술집 앞**

문 벌컥 열리고, 멍투성이 어린 유리가 허겁지겁 도망쳐 나오는데,

"미친년아!"

쫓아 나온 목련, 유리의 머리채를 낚아채 질질 끌고 들어가는.

문 닫히면 창 너머, 목련, 유리를 사정없이 때리고,

한쪽에서 기둥서방, 소주 병나발 불며 웃으며,

"그렇게 때려서 뭐가 되겠냐? 하여간 맘이 여려요."

고통 속에서 울부짖는 유리를 무차별 폭행하는 목련의 얼굴에서.

현재   N, 청담 숍

유리를 향해 다가오는 목련의 얼굴로 오버랩 되며…

유리, 자신도 모르게 뒷걸음질.

목련	(휘 둘러보며) 너 성공했다?
유리	(온몸이 마비된 듯…) 가세요….
목련	뭐?
유리	(온 힘을 쥐어짜며… 용기 내어) … 나가라고.

목련	싸가지 없이. 키워 준 은혜도 모르고 어디 엄마한테. (손 들면)
유리	(머리 감싸 쥐고 주저앉으며) 아악! (순간)

e	뭐 하는 짓이야?!

일제히 돌아보는 곳, 고은이다.

68씬 **N, 동, 대표실**

수현, 밖에서 들리는 소란스러운 소리에 놀라 쳐다보고.
무슨 일인가 싶어 일어나 문 쪽으로 걸어가는 그때.

(유리의 노트북에서는 5화 52씬 영상은 계속 재생되고 있고)

수호	나도 두렵다고! 나도 수현이 잃을까 봐 겁난다고! 나도 다 지워 버리고 싶어.

수현, 문 열려는 순간, 등 뒤로 들리는.

유리 e	(울먹) 차라리 그냥 사실대로 얘기해!

순간, 멈추는 수현의 발걸음. 서서히 노트북 쪽 돌아보는데!

69씬 **N, 청담 숍 맞은 편**

난리 난 청담 숍과는 달리 편안한 음악을 이어폰으로 들으며
찰칵찰칵, 카메라에 그 모습을 담는 선율의 묘한 눈빛.

70씬	N, 대표실

70씬   **N, 대표실**

다시 노트북 앞에 서는 수현의 눈동자 위로.

INS   *화면 속*

수호, 더는 유리를 보고 있는 게 괴로워서 들어가려는데,
유리, 수호를 붙잡고. "잠깐만요…."
그 손 확 뿌리치고 가려는 수호를, 다시 또 유리가 붙잡고.
또 뿌리치고 또 잡고, 그렇게 실랑이하다 기어이,
수호, 유리의 어깨를 확 거머쥐고는 차 본넷 쪽으로 밀며,
무섭고 낮게 속삭이는.

INS   *순간, 수현, 떨리는 손으로 다시금 영상 앞으로 돌려 재생하고.*

플래시백   (5화 52씬 확장 씬)
수호, 유리의 어깨를 확 거머쥐고는 차 본넷 쪽으로 밀며.

수호, '그럼' (c.u)

수현, 집중해서 보는 눈빛 위로.

수호, '사진 속 여자' (c.u)

점점 더 흔들리는 수현의 눈빛 위로.

수호, '너라고 해?!' (c.u)

수현	(충격) 허!

'쿵!'

미친 듯이 차를 몰고 급하게 달려오는 수호의 얼굴.

'쿵!'

한쪽에서 이 모든 걸 지켜보는 선율의 눈빛.

수현 e	내 가족은 안 돼.

플래시백 N, 암실 (23씬 확장 씬)
선율, 사진 거칠게 확 잡아떼면, 불륜 사진 속, <유리의 얼굴>

현재
더욱 서늘해지는 선율의 눈동자.

vs.

수현, 심장이 산산 조각 나는 듯 한 얼굴에서⋯!

'쿵!' 블랙아웃.

8화 엔딩

WONDERFUL WORLD
원더풀 월드

- 9화 -

나를
흔들고 싶다면
마음대로 해

1씬	(프롤로그) (과거) N, 골목 구석
	상처투성인 어린 유리, 맨발로 쭈그려 앉아 훌쩍이는 그때,
	누군가 그 앞에 마주 앉는데… 빛에 반사된 교복 이름표 '은수현'

수현	괜찮아?
유리	(움츠러드는)
수현	(잠시 바라보다가 내미는 손…) 가자.

2씬	(과거) N, 고은의 집, 거실
	어린 유리, 허겁지겁 먹는 걸 안쓰럽게 바라보는 고은과 수현.
	그때 유리, 그만 사레 걸리고.
	"아이고, 천천히 먹어."
	등 두들겨 주는 고은. 얼른 물 챙겨 주는 수현.
	그러다 처음으로 눈이 마주치는 세 사람.
	누가 먼저인지 모르지만 조금 웃었고.

3씬 **(과거) (다른 날) N, 수현의 방**

어린 수현과 유리, 이불 속, 잠옷 차림으로 함께 누워서.

유리   언니 좋아. 울 언니였음 좋겠어.

수현   (따뜻) 이제부터 내가 네 언니 해 줄게.

두 사람, 서로 이어폰 하나씩 나눠 끼고… 깊어 가는 밤.

4씬 **(과거) D, 고은의 집, 거실**

협탁에 놓은 <수현의 대학교 졸업식 사진> 속,

꽃다발 든 수현을 가운데 두고 고은과 유리, 브이 하고 찍은.

그 앞에서 서성이며 왔다 갔다 하는 고은과 유리(20대).

그때, 수현, 문 열고 들어오면.

유리/고은   (긴장) 어떻게 됐어?

수현   나… (순간 표정 바뀌며) 교수 임용됐어!

고은/유리   아이고! / (수현을 안고 빙그르르) 꺄아아아아악!

5씬 **(과거) D, 입원실**

환자복의 수현, 그리고 수호, 고은, 유리가 보는 곳.

4번의 유산 끝에 얻은 소중한 아기.

수현도 울고… 수호도… 고은도… 그리고 유리도….

유리   (눈물 글썽, 감격) 어떡해… 너무 예뻐….

| 수현 | (수호와 손 꼭 잡으며 울컥) 잘 키우자….

6씬   **(과거) D, 고은의 집, 거실**
테이블에 고은의 생일 케이크 놓여 있고.
앵글 속, 수현, 수호, 고은, 그리고 건우(6세)가 자세 잡고.

유리	자, 찍습니다. (순간)
수현	잠깐만. 유리 너도 이리 와.
유리	(손사래) 아냐.
수호	(미소) 유리 씨 같이 찍어요.
고은	그래~
건우	이모~ 빨리!

타이머 맞춘 카메라 앞,
다시 앵글 속, 유리까지 함께 한 수현의 가족들.
수현, 유리의 옷매무새를 잡아 주고.
유리, 행복해서 코끝이 찡…한 채 수현을 보고.
수현, 내 소중한 가족들 한 가운데에서 행복하게 웃는 위로…
카메라 타이머 깜빡이다가 '찰칵!'
화면, 점점 잿빛으로 변해 가며….

행복했던 수현의 눈동자에서.

7씬   **(현재) N, 청담 숍 대표실**

처참한 수현의 눈동자로 오버랩 되며….

화면 속
수호, 유리를 차 본넷 쪽으로 민 채.

'그럼'
'사진 속 여자'
'너라고 해?!'

심장이 산산조각나는 듯한 수현의 얼굴에서.

'쿵!' 블랙아웃.

타이틀 〈원더풀 월드〉

8씬　　　　**N, 청담 숍 외경**

고은 e　　　뭐 하는 짓이야?!

9씬　　　　**N, 청담 숍**
바닥에 주저앉은 채 벌벌 떠는 유리와, 유리를 위협하던 목련.
그 소리에 모두 돌아보는데, 서 있는 사람, 고은이다.

목련	(고은을 알아보며) 어머 이게 누구야~ 수현 엄마?
고은	(서늘하게 목련을 보고)
목련	오랜만이에요~ 나 기억 안 나요? 나~ 유리 엄마~
고은	(무섭게) 당신이 무슨 엄마야. 유린 내 딸이야.
유리	(바들바들 떨면서도 울컥)
목련	(헛웃음) 뭐라고요?
고은	낳았다고 애미야? 툭하면 때릴 땐 언제고, 뻔뻔하게 여기가 어디라고 찾아와? (버럭) 어디 감히 내 딸 앞에서 손을 들어?!
목련	(기막혀서) 허!
고은	한 번만 또 내 딸 찾아와서 행패 부렸다간 그땐 가만 안 둘 줄 알아!

목련, 그런 고은을 빤히 보다가 갑자기 미친 사람 마냥 웃어 제끼고.
그 모습을 고은, 흔들림 없이 바라보는데.

목련	(쇼하며) 어우~ 웬일이니, 어우~ 눈물 나~
	수현 엄마 불쌍해서 어떡해~~? 유리야아~ 왜 그랬어어어~
유리	(왜 이러나 싶어서 바들바들 떨고)
고은	(역시 무슨 소린가 싶은데)

목련, 유리 앞에 쭈그리고 앉더니, 재킷 주머니에 사진 꽂아 주며.

목련	(비아냥) 넌, 천~상 내 딸이다. 그 피가 어디 가겠니.
유리	(허!)
목련	(다시 일어나며 고은에게) 수현 엄마, 조심해요~
	믿는 도끼에 찍힌 발등엔, (놀리듯) 약도 없어~
	(유리에게) 또 보자~ (고은 들으라는 듯) 내 딸~

고은을 비웃어 주며 나가는 목련.

고은   (그제야 유리를 부축해 일으키며) 어디 다친 덴 없어?

유리, 덜덜 떨리면서도 고은의 모습에 그만 눈물이 왈칵.
고은, 얼른 놀란 유리를 안아 주며 토닥이고.

한쪽에서 그 모습을 지켜보고 있는⋯ 수현.

유리   (고은 품에 안겨 있다 그런 수현과 눈 마주치고) 언⋯니⋯.
고은   (역시 그 소리에 돌아보고) 수현이 있었구나. 아휴, 이게 무슨 일이니.
수현   (고은만을 바라보며) 엄마, 먼저 집에 가요. 여긴 내가 정리할게.
고은   그래도 애 좀 진정시키고.
수현   (O.L 간신히 꾹 누르며) 내가 알아서 한다고.

고은, 수현의 단호한 태도에 하는 수 없고.

10씬   **N, 청담 숍 앞**

고은, 택시에 타려다 문득 걱정스러운 마음으로 한 번 뒤돌아보고.
그렇게 출발하는 택시.

cut to   N, 청담 숍
고은을 태운 택시 떠나자 수현, 그제야 시선 돌려 처음으로 유리를 바라보는데.
그렇게 마주 선 두 사람의 모습을.

11씬   **N, 청담 숍 일각**

흥미롭게 지켜보는 서늘한 눈빛의 선율.

12씬   **N, 근처 도로**

달려오는 수호의 차.
분노에 찬 수호의 눈빛 위로.

플래시백   N, 뉴스룸
수호, 뉴스 끝나자마자 인이어 거칠게 빼 버리고 나오는데,
문자 수신음.

INS   청담 숍 사진 <수현과 유리 마주 서 있고>
[나 여기 있어요.]

현재   N, 청담 숍 근처 갓길
'끼익—' 도착하는 수호의 차.
수호, 내려서자마자 급하게 뛰어 들어가는데.

cut to   N, 청담 숍 근처 일각 (현장 상황에 맞게)
선율이 목련에게 돈 봉투 쥐여 주고 보내는 중이고.

그렇게 돌아서는 선율. 저만큼 서 있는 수호를 봤고.
이만큼의 거리를 두고서 처음으로 대면하는 두 사람.

수호, 그대로 선율에게로 달려가려다가 멈칫.

저기 청담 숍 안에 앉아 있는 수현의 모습에…
'지금은 안 돼… 여기서 시끄럽게 할 수는…
기다려! 너 곧 내가 부숴 버린다!!'
수호, 양 주먹 꽉 움켜쥐고 참는 걸 지켜보던 선율.
입가에 지어지는 차가운 미소와 함께 멀어져 가는 선율.

컷 뛰면.

선율, 헬멧 쓰고 출발하는 오토바이.

13씬　　　　**N, 청담 숍**

수현, 유리를 기다리며 서늘하게 앉아 있는.
테이블 아래로 수현의 손, 떨리고 있고.
힘주어 꽉 움켜쥐는.

14씬　　　　**N, 청담 숍 화장실**

유리, 초조하고 두려워서 서성이다가… 결심한 듯 멈추어 서고.
목련이 주고 간 사진을 정말… 어렵게… 천천히 꺼내 드는 순간.

유리의 얼굴이 정확하게 나온 수호의 불륜 사진. (8화 71씬과 동일한)

유리　　　　(하마터면 뒤로 넘어갈 뻔) 헉!

유리, 입 틀어막은 채 온몸이 덜덜덜 떨려 오고.

가슴이 두근거려 진정이 안 되고…

'나… 그냥… 이대로 죽어 버릴까…'

유리, 고통스러운데.

cut to 　동, 청담 숍

간신히 마음 다잡고 또 다잡고는 화장실에서 나와서는 유리.

저만치 앉아 있는 수현을 보는데 또다시 가슴이 두근대고.

'후…' 깊게 심호흡하고는.

유리　　　(수현 앞에 표정 관리하며 앉으며) … 언니.

수현, 서서히 고개 들고.

유리　　　오늘… 다 같이 저녁 먹으려고 했는(데…)

수현　　　(O.L) 직원들 다 보내.

유리　　　(흠칫) 어?

유리, 수현의 말에 직원들 향해 가라는 눈짓에,

직원들, 눈치 보며 빠르게 자리 뜨면.

유리　　　(수현을 살피며) 언니… 왜… 그래?

수현　　　유리야.

유리　　　어.

수현　　　(그제야, 천천히 유리를 쳐다보고…) 나, 다 알아.

유리　　　(!)

수현　　　(북받쳐) 너… 용서할 수 없어.

'설마?!' 순간 유리의 심장이 얼어붙고.

수현	어떻게 나를 보며 웃고, 엄마한테 안기고, 그렇게 아무렇지도 않게!!
유리	(O.L 덜덜덜 떨려 오며) 어, 어, 언⋯니?! 언, 언니 내가!
수현	입 닥쳐.
유리	(심장이 쿵!)
수현	(차오르는 분노와 슬픔) 함부로 잘못했다고 말하지 마.
유리	(숨이 안 쉬어지고) 언⋯니⋯.
수현	기다려. 내가 정리될 때까지. 그때까지 입 다물고 있어.

수현, 차갑게 일어서고.
유리, 그런 수현의 뒤를 쫓으며.

유리	(벌벌 떨며) 언⋯니⋯ 언니⋯!

문 '쾅!' 닫고 나가 버리는 수현.
그만, 그 앞에서 유리, 풀썩⋯ 쓰러지듯 주저앉고.
너무 무섭고 너무 괴로워서 아무것도 할 수 없는 채로⋯.

15씬   **N, 지대 높은 곳**
달려와 '끼익—' 멈추어 서는 수현의 차.

16씬   **N, 수현의 차 안**
핸들을 쥔 수현의 양손도 덜덜덜 떨리는데, 그 위로.

빠르게 컷컷 되며.

건우가 죽었을 때 내 옆을 지켰던 유리. (1화 31씬)
교도소 면회실, 함께 오열했던 유리. (2화 34씬)
출소 후 찾아온 수현을 와락 끌어안는 유리 (3화 6씬)
나를 위해 신발을 사 주며 위로했던. (3화 10씬)
함께 김장하며 장난치며 웃던. (6화 50씬)

'네가 어떻게 나한테…!'
그제야, 산산이 부서지는 고통 속에서 흐느낌 커지는데.

수현   어떡해… 나 어떡해… 건우야….

그렇게 고통스러워하는 수현의 모습을.

cut to   동, 지대 높은 곳
이만큼 떨어진 곳에서 무심히 지켜보는 선율의 눈빛.
확인하고는 그대로 출발하는 오토바이.

17씬   **N, 하남 돼지집 (PPL)**
수진, 용구 먹고 떠드는 옆으로 직원이 고기 굽고 있고.
들어오는 선율의 모습에.

수진/용구   선율아! / 여기!
선율   (그 앞에 앉고)

수진	어떻게 됐어??
선율	계획대로 되고 있어.
용구	예스!
수진	하루 종일 밥도 못 먹었지? (명이나물에 고기 싸서) 자, 여기다 싸서, 아~ (입에 넣어 주고)
선율	맛있네. (잔 들더니, 힘차게) 오늘 끝까지 달리는 거다?
수진/용구	오케이! / 콜!

신나게 잔 부딪치고!
벌컥벌컥 원샷 하는 선율의 모습.

cut to　N, 펍 (혹은 노래방)
시끄러운 음악 속에서 선율, 수진과 용구와 함께, 부어라 마셔라.
다트도 던지고, 노래도 부르고. (현장 상황에 따라)
오늘따라 유난히 오버하며 웃고,
더 크게 떠들고, 끊임없이 마시고.

18씬　N, 펍 건물 계단
시끄러운 음악 소리, 저 멀리 들리고.
취객들 올라갔다 내려갔다.
왁자지껄했다 조용했다…
그 붉은 네온사인 불빛 아래….

저기 계단 아래 앉아 있는 선율… 한참 동안 그렇게…
그 뒷모습에서…. (F.O)

19씬	(F.I) D, 방송국 외경

20씬	D, 국장실

수호, 한상과 마주 앉아 있고.

한상	직원 말이, 한유리 친엄마라는 사람이 와서 깽판 치고 갔대.
수호	(서늘해지며) 권선율 짓이야.
한상	야, 근데, 진짜 악질한테 제대로 걸렸더라.
	권선율, 수현 씨 교도소에도 봉사 핑계로 수차례 방문했더라고.
수호	(어금니 꽉) 그때부터 내 와이프한테 접근했다 이거지.
	(찌릿) 걔, 한유리 엄마도 깽판이나 치라고 보낸 건 아닐 거야.
	그 엄마 좀 만나 봐.
한상	오케이.

그때, 노크와 함께 들어서는 사람. 긴장한 혜금이다.
서로 눈빛 교환하는 세 사람.

컷 튀면.

상석에 앉은 수호를 중심으로 마주 앉은 혜금과 한상.

수호	(혜금에게) 김준이 뭐래요.
혜금	저더러 잠깐 나가 있으래요. 대선 끝나면 다시 부르겠다고.
	(무섭고) 수호 씨 말이 맞았어요.
수호	윤혜금 씨가 외국으로 떠나면 페이퍼 컴퍼니로 들어간 돈, 당신이 횡령한 걸
	로 다 뒤집어씌워서 꼬리 자르기 할 겁니다. 그 전에 무슨 수를 써서라도 김

준, 끌어내려야 해요.

혜금　(가슴 떨리고)

수호　곧, 김준, 뉴스 초대석에 나와요. 우리 그날을 디데이로 잡읍시다.

혜금　(더는 물러날 데가 없고 단호하게 끄덕이며) 알겠어요.

한상　(그러자는 눈빛)

그런 두 사람을 보며 다시금 의지 다지는 수호의 눈빛.

(시간 경과)

국장실 창가.
창밖으로 보이는 빌딩 숲을 내다보며 서 있는 수호. 그 위로.

플래시백
혜금은 이미 나갔고, 한상도 가려다가 수호를 돌아보고는.

한상　(머뭇) 참, 수호야. 수현 씨 말야. 최근에 뜻밖의 사람을 만났더라고.

수호　누구?

현재
수호의 눈빛, 그 어느 때보다 차가워지고.

21씬　**D, 청담 숍 대표실**
유리, 고통 속에서 머리 감싼 채… 그 위로.

플래시백

수현   나, 다 알아. (14씬)

유리, 힘겹게 서랍 속에서 사진 꺼내 드는데… 그제야…
저 깊숙이 묻어 두었던 기억이 떠오르고.

22씬   **(회상) N, 호텔 BAR (대사 순서 변경)**

2016년 12월 24일.

초췌한 수호 옆에 다급하게 앉는 유리.

유리   언니는요? 잘 만났어요?

수호   (대답 없는…)

유리   왜 그래요, 언니가 뭐라는데요? 네?!

수호   (…) 헤어지재요.

유리   (흠칫) 그거, 진심 아니에요! 언니 몰라요?

수호   알아요… 왜 그렇게 모질게 밀어냈는지 너무 잘 아니까…
그래서 아파….

유리   (안쓰러워서) 수호 씨.

수호   (먹먹한…) 여기서 내가 수현이한테 고백했었어요.
평생 함께 하자고… 영원히 지켜 주겠다고….

유리   (…)

수호   근데 나는 내 새끼도 못 지켰고… 내 아내도 못 지켰고…
(목구멍까지 차오르는…) 나만… 남았어요…

이제 내 인생에 아무것도 남은 게 없네. 진짜 혼자다….

그렇게 고개 떨구고…
유리, 그 모습을 보는데, 언니도 불쌍하고 이 남자도 불쌍하고.

23씬   **(회상) N, 호텔 룸**
술에 엉망으로 취한 수호와 유리. 서로에게 기대 들어오는데…
그 순간…
누가 먼저랄 것도 없이 입을 맞추려는 순간.

24씬   **(현재) D, 청담 숍 대표실**
유리, 지워 버릴 수만 있다면…
목련이 주고 간 사진을 미친 듯이 찢어 버리고.
그러다, 어금니 꽉 깨물고는 용기 내 전화 거는데.

유리   나예요.

25씬   **D, 목련의 술집 / 청담 숍 대표실 (통화 / 교차)**
목련, 글라스에 소주 따르면서.

목련   빨리도 전화했다~ 이제야 딸 노릇 좀 하려고?
유리   (바들바들 떨면서도) 이 사진 어디서 났어요.
목련   그건 알아서 뭐 하게?

유리	(울컥) 어디서 났냐고!!

그때, 드르륵 열리는 목련의 술집 문.
쳐다보던 목련의 눈빛, 가늘어지며.

목련	끊어. 중요한 손님 왔어.

끊고는 바라보면, 앞에 서 있는 사람, 수현이다.

목련	네가 웬일이니~ 날 다 보러 오고?
수현	(서늘) 유리 일하는 덴 어떻게 알았어요.
목련	(푸흡) 난 또 뭐라고. 누가 알려 줬어. 아주 재미난 사진을 주더라고?
수현	그래서? 그깟 사진으로 협박이라도 하려고?
목련	(흠칫) 설마? 너, 그게 뭔 줄 아는구나?
수현	알아들었으면 더는 찾아오지 마요.
	돈만 주면 자식도 파는 당신 같은 사람, 나한텐 안 통하니까.

수현, 그렇게 나가려는데 뒤통수에 대고.

목련	그 사진 누가 줬는지 안 물어봐?

그대로 문 쾅 닫고 나가 버리는 수현.

26씬   **D, 목련의 술집 앞**
문 거칠게 닫고 나와 선 수현, 어디론가 전화 거는데.

수현	(서늘) 너 지금 어디야.

27씬　　　**N, 호숫가**

한쪽에 세워져 있는 선율의 오토바이.

그 뒤로 수현의 차, 멈추어 서고.

내려서는 수현, 둘러보면, 고요에 감싸인 호수.

그리고 저기, 호숫가 끝에 서 있는 선율의 뒷모습.

수현, 눌러보다가 그쪽으로 다가가 이만큼 떨어진 곳에 나란히 서고.

선율	(여전히 시선은 호수를 바라보며) 여기 어때요.
수현	(…)
선율	사람들은 여기 몰라요.
	여기서 죽으면 아무도 못 찾아요.
	쥐도 새도 모르게 끝나는 거지.
수현	(…)
선율	나도 여기서 죽고 싶었던 적이 있었어요.
	근데 그쪽 책에 써 있더라고.

선율, 그제야, 서서히 수현을 바라보고.

선율	가슴 속에 지켜야 할 신념 하나만 있다면, 우린 어떻게든 살아가야 한다.
수현	(…)
선율	내 신념은 말이야.

선율, 수현에게로 다가오는 발걸음 어쩐지 위협적이고.

수현 앞에 딱 멈추어 서며.

선율   죽음엔 더 큰 죽음으로.

순간, 선율, 수현의 팔을 움켜잡고.
그대로 호수 쪽으로 쳐넣어… 버리는 대신, 거칠게 잡아당기는.
그 바람에 흙모래가 깊은 물속으로 후두둑.

선율   너무 가깝잖아요. 헛디디면 어쩌려고.
           (낮은 미소) 그러다 죽어요.

그 소리에 수현, 천천히 선율에게 잡힌 팔 뿌리치고는.

수현   (똑바로 바라보며) 죽는 건 쉬워. 계속 살아 내는 게 어려운 거지.
선율   (흠칫)
수현   넌 내가 어떻게 버텼을 거 같아?
           나는, 건우 엄마로서 부끄러운 것도, 후회하는 것도 없어.
           오직, 그 마음 하나로 여기까지 왔어.
선율   (요동치는 눈동자!)

수현, 선율에게 한 발짝 더 다가가며.

수현   누구든 나를 흔들고 싶다면 마음대로 해.
           날 죽일 순 있어도, (강경한 눈빛으로) 이 마음을 죽일 순 없어.

그 말을 전하고는 그렇게, 단호하게 돌아서는 수현.

선율, 그 뒷모습을 이 꽉 깨물고 지켜보는데.

선율　고맙네. 그렇게 말해 줘서.

28씬　**N, 폐차장**

선율, 양 주먹 꽉 움켜쥔 채로 들어가는… 등 뒤로.

e　권선율.

천천히 돌아서는 선율 앞에, 다가와 서는 사람. 수호다.

서로 눈 하나 깜짝 안 하고 바라보는데.

수호　(무섭도록 서늘하게) 감히 내 와이프한테 접근해?

　　　그깟 사진 한 장으로!

선율　(미소) 그깟 사진 한 장이라고 하기엔 너무 많은 거짓말을 하지 않았나.

수호　(O.L) 입 다물어! 너, 김준이 시켰냐?

선율　그랬으면 얼굴이 나온 사진을 보냈겠지.

　　　내가 왜 얼굴 없는 사진을 보낸 줄 알아?

　　　(낮은 미소와 함께) 바로 용서 구하고 끝나면 안 되니까.

수호　(양 주먹 꽉 움켜쥐고) 이 치사한 새끼, 이게 복수냐?

선율　(무섭게) 이게 복수면 안 되지. 내 아버지를 죽였는데.

수호　(더 무섭게) 네 아버진 내 새끼를 죽였어! 내 아낸 죗값 다 받았고! 스스로 가석

　　　방까지 거부했다고, 알아?!

선율　내가 용서 안 했는데, 무슨 죗값을 받아?!

수호　왜 여태 가만있다 이제 와서 이러는데? 간신히 살려는 사람한테 왜 이렇게

까지 하냐고?!

선율 행복해지려고 하니까.

수호 (움찔) 뭐…?

선율 (비릿한 미소로) 방송에 나와서 그러더라고. 잘 살아 보겠다고.
   내가, 이 순간을, 얼마나 기다렸는지 알아요? (와 동시에)

수호, 기어이 선율의 얼굴에 주먹을 날리고.

수호 이 개자식! 넌! 내 아들을 죽인 놈 아들일 뿐이고. 내 아내가 안 했으면, 내가
   했어!

선율 (핏발 선 눈동자) 어! 그래서 나도 하려고, 당신 와이프가 한 거.

수호, 독 오른 선율을 보자 이판사판 끝내 버리고 싶은 마음과
그러면서도 어떻게든 수현을 지켜 내야 한다는 그 깊은 갈등 속.

수호 (진심으로) 어떡하면 멈출래. 어떻게 하면 수현이 좀 내버려 둘래.

선율 (눈빛)

수호 (서늘한 눈빛으로) 수현이 대신 나한테 해. 방송국 그만두라면 그만둘 거고, 다 내
   려놓으라 하면 그렇게 할게. 부탁이다, 네 마음속에 있는 분노, 나한테 풀어.

그렇게 서로를 바라보는 두 남자의 요동치는 눈동자.

선율 (비웃듯) 근데 어쩌나? 사진 속 여자, 은수현이 모른다고 생각해?

수호 (멈칫)

선율 (의미심장) 다… 덮고 가려나 봐? 진짜 대단한 여자야. (와 동시에)

수호 (멱살 거머쥐며) 이게 그래도!

그때, 그 앞으로 멈춰 서는 용구의 차.

용구　　　(차 키 들고 뛰어나오며) 선율아!

순간, 수호, 용구의 얼굴에 흠칫.

플래시백

용구　　　제가 접촉 사고가 났는데 진짜 억울한 일을 당해 가지고,
　　　　　그거 찍혔는지 확인 좀 해 주심 안 돼요? (8화 47씬)

용구도 수호를 보자, 화들짝, 얼굴 감추고는, 일단은 도망치자 싶어서.

용구　　　(선율의 주머니에 차 키 넣어 주며) 여기 차 키. (일단 튀고)

황당한 수호의 얼굴을 재밌다는 듯 보던 선율, 수호의 손 뿌리치고는,
안으로 들어가 버리면, 남겨진 수호의 눈빛, 흔들리는데.

29씬　　　**N, 청담 숍**
유리, 여전히 아무것도 손에 잡히지 않는… 그때.

직원1　　　대표님, 내일 바이어 미팅 건으로.
유리　　　(힘겹게) 오늘은 그만 가.
직원1　　　그래도 프리젠테이션 자료는 한 번 보셔야.
직원2　　　(역시 뛰어와) 대표님 의상 샘플 좀.

유리   (버럭) 다 좀 가라고!!

            직원들 일제히 벙찐 채. 그러다 서로 눈치 보고 나가면,
            유리, 정말이지 죽을 것만… 그때, 울리는 휴대폰. 액정 '강수호'
            그 위로.

수현 e   기다려. 내가 정리될 때까지. 그때까지 입 다물고 있어.

            유리, 받지 못한 채… 그저 이렇게… 고통 속에서 견디는 수밖에….

30씬   N, 갓길, 수호의 차 안

e   지금은 전화를 받을 수 없어…

            수호, 끊는데 어쩐지 불길해지는… 그러다, 블랙박스를 바라보고.

INS   서재 책상에 놓여 있던 SD 카드를 집어 드는 수호의 손.

            용구가 부탁한 그날을 확인하는데.

INS   수호와 유리가 함께 서 있는 섬네일

수호   (요동치는) 설마?

            그때 울리는 전화. 액정 '이한상'

수호   (황급히 받으며) 만나 봤어?

31씬   **N, 목련의 술집 앞 / 수호의 차 안 (교차 / 통화)**
            한상, 막 문 닫고 나오면서.

한상   (난감) 어. 근데… 수현 씨가 벌써 왔다 갔더라고.
수호   (흠칫) 뭐…라고 했는데?

            컷 튀면.

            저 멀리 차 문 거칠게 열고 나오는 수호,
            미쳐 버릴 것만! '아아아아아아악!' (소리는 들리지 않는)
            절규하며 고통스러워하는 수호의 모습.

32씬   **N, 수현의 집, 거실**
            수현, 통 창 앞에 서늘하게 서 있는… 그 뒤로,
            현관으로 들어서는 수호. 잠시, 수현의 뒷모습을 보다가….

수호   수현아….

            아주 천천히… 그렇게 수호를 돌아보는 수현.
            수호, 괴로운 심정으로 수현을 보다가… 다 내려놓는 심정으로….

수호   미안해….

수현	(서서히 굳어 가는 표정)
수호	당신이 끝까지 모르길 바랐어.
	그러면서도, 다 털어 놓고 이 지옥에서 벗어나고 싶을 때도 있었어.
	근데 그때 넌 죽어 가고 있었잖아.
	그런 너한테… 차마 말 못 했어.
	(어금니 꽉…) 그래서, 거짓말을 선택했어.

순간, 수현, 치미는 분노로 벽에 걸린 결혼사진 내동댕이치고.

수현	당신은 나한테 오지 말았어야 했어!
수호	(아프고)
수현	내가 밀어냈잖아, 싫다고 했잖아, 당신 인생 살라고 했잖아!!
수호	(울컥)
수현	아무리 우리가 헤어졌어도 너흰 그러면 안 됐어.
	새끼 잃고 교도소에서 버티고 있던 나한테 그러면 안 되는 거였어…
	그 짓을 저지르고, 내 앞에 나타나진 말았어야지!
수호	(가슴이 찢어지고)
수현	내가 죽을까 봐 그랬다고?
	내가 가장 견디기 힘든 게 뭔 줄 알아? 너희가 바람피운 거?
	아니! 아무리 억울하고 아무리 분해도, 내 새끼 죽은 것보단 아냐…!
수호	(울컥)
수현	내가 정말로 견디기 힘든 건… 그런 너희들인 줄도 모르고…
	(억장이 무너지는) 그런 너희들 땜에 내가 살아 보려고 했어.

수호, 천천히 수현 앞에 진심으로 무릎 꿇고.

수호	(울컥) 미안해, 수현아….
수현	늦었어. 이제… 더는 당신 내 남자 아냐.
수호	(가슴이 미어지고)
수현	당신이 망친 거야.

그렇게 문 '쾅!' 닫고 들어가는 수현.
수호, 가슴이 무너지는 고통 속에서… 그렇게….

33씬   **N, 건우의 방**

들어와 스르륵 주저앉는 수현도… 고통스럽고…
어떻게든 이 고통을 견뎌 보려…
그렇게 눈을 감아 버리는… 그 위로.

유리 e	언니~~!

어지럽게 뒤엉키며 컷컷 되면서.

유리, 수현에게로 반갑게 달려오며 언니~! /
호텔, 유리와 수호, 누가 먼저랄 것도 없이 격정적으로 키스. /
수호, 수현을 백허그 해 주며 진심을 담아, "사랑해." /
수호와 유리, 서로를 탐하며 침대로 향하는. /

뒤죽박죽 섞인 채.

현재   깊은 밤

눈 번쩍 뜨는 수현, 악몽이었다.

간신히 몸 일으키는 적막 속, 그렇게 한참 동안 아픔을 참으며…

그런 수현의 뒷모습 위로….

창밖으로 더욱 깊어 가는 밤….

34씬　　**N, 선율의 원룸**

선율의 창밖으로도 밤은 깊어 가는데….

불도 안 켠 채 우두커니 앉아 있던 선율.

천천히 일어나 냉장고 문 열면, 생수밖에.

벌컥벌컥 마시는데, 순간 수호한테 맞은 터진 입술 땜에 찡그리는…

그러다 문득 저기 구석에 수현이 줬던 약봉지가 눈에 들어오고.

플래시백　(5화 41씬)

수현　　아무리 안 아파도 그만 좀 다쳐. 널 좀 소중히 여겨.

선율, 약봉지에서 꺼내 드는데 연고다.

그대로 거칠게 쓰레기통에 다 집어 처넣고는,

한쪽에 놓인 쇼핑백 들고 다시 나가는데.

35씬　　**N, 1405호**

선율, 들어와 가만히 은민 옆에 앉는데….

플래시백   수현, 산산이 부서지는 고통 속에서 흐느끼던. (16씬)

선율   (은민의 손 꼭 잡고) 엄마가 흘린 피눈물에 비하면 그 여잔 아직 멀었어. 내가 다
       갚아 줄 거야.

       그러면서 가져온 쇼핑백에서 꺼내 드는 것, 구두다.

선율   (울컥하는 마음 참으며) 울 엄마… 진짜 예뻤는데.
       엄마… 이거 신고… 나랑 꼭 소풍 가자.

       선율, 은민의 손을 자신의 뺨에 갖다 댄 채 고통을 견디는…
       은민의 눈가에서 한줄기 새어 나오는 눈물, 알지 못한 채….
       (F.O)

36씬   (F.I) D, 수현의 집 외경

37씬   D, 부부의 방
       수호, 초췌한 얼굴로 방문 열어 보는데, 수현이 없고.

38씬   D, 서재
       들여다보면, 역시 수현이 없다…
       수호, 아프고 힘든 마음….

| 39씬 | D, 카페 |

수현, 생각에 잠긴 채 미동도 없이 창가에 앉아 있는.
계속 흘러가는 구름과 함께 시간도 흘러가고.

수현의 커피를 리필 해 주는 종업원.
수현 앞으로 늘어나는 커피잔.

어느새… 수현의 자리에 해가 지며 깔리는 붉은 노을.
그렇게…
한참의 시간이 흐르고 나서야… 드디어 결심이 서는 수현.
천천히 휴대폰을 바라보고.

| 40씬 | N, 문 닫힌 청담 숍 앞 |

| 41씬 | N, 청담 숍 대표실 |

불도 안 켠 어둠 속, 유리, 미동도 없이 앉아 있는… 그때,
울리는 휴대폰. 액정 '수현 언니'
순간, 유리, 심장이 철렁…!

유리　(차오르는 눈물로 잠시 바라보다가… 힘겹게 받으며) 언…니….

　　　cut to　카페 / 대표실 (교차 / 통화)

수현　좀 보자.
유리　(입 틀어막은 채…)

42씬	N, 의원실

거울 앞에서 셔츠에 넥타이 대보는 김준의 눈빛.
정장 대여섯 벌 걸린 행거 옆에 전문 스타일리스트 서 있고.

스타일리스트 경선 막바지인 만큼 당을 상징하는 보라색으로 정통성을 보여 주셔도 좋을
거 같습니다.

그러라는 김준의 눈빛에 빠르게 움직이는 스타일리스트.

보좌관1 의원님, 손 의원과 경쟁 구도에 대한 질문은.
김준 (상석에 앉으며) 빼라.

보좌관들, 김준 말에 질문지 서로 교환하며 중간 중간 쫙쫙 긋고,
'미혼모 지원 법안과 청년 정책 관련 질문, 추가해 달라고 하겠습니다.'
바로바로 노트북에 입력하고.
실시간으로 출력되는 질문지 빠르게 전달되어 김준 손에 넘어가면.

김준 (쓱 훑어보며) 토시 하나 바꾸지 말라 케라.
일제히 네.
김준 됐다, 가 봐라.

방 안에 있던 사람들, 김준에게 인사하고 일사불란하게 나가면,
그제야 밖에서 기다리고 있던 선율, 비서관을 따라 들어오고.

김준 아이고마, 오래 기다렸재.
선율 (정중하게 인사하고는 앉으면)

김준	하이고 바쁘다. 대선 때가 되이 니 애비 생각 마이 나네.
	누구보다 발 벗고 나섰을 낀데.
선율	(담담한) 저번에 심장병 환우회 행사 때 오셨다는 얘기 들었습니다. 바쁘신데
	저희 엄마까지 보고 가시고 감사합니다.
김준	뭔 소리고. 니 아빠를 생각해서라도 니 엄만 내가 챙겨야재.

선율, 서서히 고개 들어 김준을 바라보다가.

| 선율 | 뉴스 초대석 나가신단 말씀 들었습니다. 그 전에 먼저 아셔야 할 게…. |

그 앞으로 내미는 사진 속,
ABS 방송국 간판이 보이는 건물 앞, 혜금과 한상이 서 있는.

| 선율 | 강수호가 금 갤러리 관장과 가깝게 지내는 거 같습니다. |

김준, 입가에 미소가 점점 사라지며 이내 곧 굳어지는 눈빛.

| **43씬** | **N, 의원실 앞 복도** |

선율, 막 나와서는 뒤로 '와장창!' 깨지는 소리.

| **44씬** | **N, 의원실** |

김준이 던진 재떨이 벽에 맞아 깨지면서, 파편이 비서관 얼굴 그었고.

| 김준 | (극대노) 니 요즘 한가하재? 윤혜금 이럴 동안 뭐 했노!!! |

45씬	**N, 의원실 앞 복도**

선율, 안에서 들리는 고함 들으며, 유유히 멀어지는 발걸음.

46씬	**N, 카페**

수현, 기다리고 있는…

그때… 열리는 문과 함께 들어서는 유리.

유리를 바라보는 수현의 눈빛에 그 어떠한 감정도 없고.

유리, 수현을 보자 덜덜덜 떨리는 양손. 애써 꽉 쥐고는.

그렇게 수현 앞으로… 마주 선 두 사람.

수현	앉아.
유리	(시키는 대로…)

수현, 유리를 바라보고…

유리, 바짝 마른 입술로 마른침을 삼키고… 또 삼켜 보지만….

유리	잘못 했어….
수현	(…)
유리	나도… 내가… 용서가 안 돼… 어떠한 변명도 안 할게…
	언니가 때리면 맞을 거고… 떠나라면 떠날게.
	(각오했고) 죽으라면 죽을게.
수현	(…)
유리	(다 내려놨고) 그냥… 언니 이렇게 한 번 더 볼 수 있어서…
	이거면 돼.

차마… 고개도 못 들겠고…

수현, 그런 유리를 미동도 없이 바라보다가.

수현	한유리, 나 봐.
유리	(차마…)
수현	고개 들어.
유리	(그제야 힘겹게 고개 들고 수현을 보는데…)
수현	(똑바로 보며) 언니는, 너 안 버려.
유리	(심장이 쿵!)
수현	그러니까 떨지 마.
유리	(목이 탁 막혀 아무 말도 안 나오고…)
수현	(단호) 너 예뻐서가 아냐. 너를 딸 이상으로 여기는, 엄마를 위해서.

그 말에 유리, 가슴을 움켜쥐고….

수현	나는, 내 엄마 지킬 거야. 그러니까 너도 정신 차려.
	우리한텐 지켜야 할 엄마가 있어.

오열하는 유리를 보며… 그렇게 고통을 참아 내는 수현의 모습에서.

47씬   **N, 터프팅 공방**

수진, 막 태호를 데리고 들어오고.

수진	들어오세요.
태호	(둘러보며) 와… 여기가 수진 씨 일하는 곳이구나.

수진	(미소) 맛있는 밥 사 주셨으니까 차는 제가 대접할게요.

수진이 차를 준비하는 동안 태호, 둘러보다가 터프팅 건을 발견했고.
한번 만져 보고, 들어서 총 쏘는 자세도 잡아 보고 그러다 실수로.

e	탕탕탕탕!

'아따마!' 태호, 놀라 넘어지고, 스프링처럼 벌떡 일어나면.

수진	(차 갖고 오다가) 괜찮으세요?
태호	(엉덩이 아프고) 네.
수진	(웃음 참고는) 한번, 제대로 해 보실래요?

수진, 태호에게 터프팅 건 잡는 법 알려 주고. (cut)
어설픈 태호의 손을 잡고 손가락 위치도 바꿔 주고. (cut)
옆에서 안듯이 자세도 잡아 주고. (cut)
깔깔 웃는 수진. (cut)

태호	(좀 홀린 듯 보다가…) 참 밝으세요….
수진	죽었다 살아났으니까 밝게 살아야죠. 아, 저 심장 이식받았어요.
태호	(저런… 안쓰러워서) 정말…요?
수진	(미소…) 참, 태호 씨 형이 강수호 앵커라면서요?
태호	(긁적) 네.
수진	(떠보듯) 우리 간병인 말이… 은수현 씨가 저희 병실에 왔었다고….
태호	아, 저희 형수님이랑 아는 사이래요. 수진 씨도 몰랐나 봐요?
수진	네, 어떻게 아는 사이일까? 저 은수현 씨 완전 팬인데.

태호	언제 한번 소개시켜 드릴게요.
수진	좋죠~ 이왕이면 태호 씨 여친 자격으로.
태호	(혁… 얼굴 붉어지고)

해맑은 태호를 보며 같이 웃는 수진.
이 남자에게는 미안하지만 은수현 주변인들 다 괴롭히겠다는 눈빛.

48씬　　**N, 수현의 집, 거실**

수호, 복잡한 심정으로 앉아 있는… 그 위로.

플래시백　(20씬 확장 씬)

한상	참, 수호야. 수현 씨 말야. 최근에 뜻밖의 사람을 만났더라고.
수호	누구?
한상	진짜 화재 피해자.
수호	(!)

현재

그때, 현관 열리며 들어서는 수현.
수호, 자리에서 일어나고.

한상 e	수현 씨, 권선율이 누군지 다 알고 있는 거 같아.

그렇게 서로를 복잡한 마음으로 바라보는 두 사람.

수현, 지금은 수호와 어떤 말도 하고 싶지 않아 그대로 자리 뜨고.

수현이 나 보는 게 힘들구나…

복잡한 심정으로 바라보는 수호의 눈동자.

49씬　　**N, 주방**

수호, 들어서는데,

답답한 듯 양주 한 병 꺼내 글라스 가득 채워 마시다가,

수호, 이대로는 안 되겠다는 눈빛에서.

(F.O)

50씬　　**(F.I) D, 선율의 집 외경**

51씬　　**D, 선율의 원룸**

선율, 거울 앞에서 정장으로 잘 차려입고, 향수도 뿌리고.

휴대폰 스피커로 들리는.

수진 e	그 여자 진짜 미친 거 아냐? 사진 속 여자가 누군 줄 알면서도 꿈쩍도 안 한다고?
선율	(타이 매고 거울 속 자신을 바라보며) 후회하게 해 줘야지.
수진 e	어떻게?
선율	그 여자가 가장 지키고 싶은 사람.
	(눈빛) 한 사람 남았잖아.

52씬　　　D, 고은의 식당 앞

멈춰 서는 선율의 차.

선율, 봉투 들고 내려서며 서늘하게 바라보는 눈빛. (cut)

그렇게 문 열고 들어가는데.

53씬　　　D, 수현의 집, 부부의 방

수현, 계속 '엄마'에게 전화 걸지만 받지 않고.

수현　　　(갸웃) 왜 이렇게 안 받아.

아무래도 안 되겠다. 가방 챙겨 들고 나서는데.

54씬　　　D, 고은의 식당 앞

수현, 막 차에서 내리는데,

몇몇 사람들, 고은의 식당 앞에서 기웃대며 안을 들여다보고.

수현　　　(?)

55씬　　　D, 고은의 식당

수현, 뭐지 싶은 마음으로 들어서는데,

동네 상인들 몇 명, 엎어진 나물들로 엉망이 된 바닥을 쓸고.

넘어진 테이블을 똑바로 놓고.

상인 1	(마침 수현을 보고는) 아유! 이게 뭔 일이래?!
수현	(놀라서) 엄마는요?
상인 1	(걱정) 몰라! 가게를 이 꼴로 해 놓고 문도 다 열어 놓고 어딜 갔다니!

수현, 얼른 전화 거는데 받지 않는 고은.

안 되겠어서 뛰어 나가려는 순간, 끊기기 직전 휴대폰 너머 들리는.

선율 e	여보세요.
수현	(선율의 목소리에 심장이 쿵) … 왜 네가 받아.
선율 e	그쪽 엄마, 나랑 있어요.
수현	(!)

56씬	**D, 한국대 병원 응급실**

정신없이 달려오는 수현. 이리저리 고은을 찾고.

그때, 태호, 달려와 수현을 붙잡아 주며.

태호	형수님!
수현	(아무도 눈에 안 들어오고) 엄마 어디 계셔?!
태호	진정하세요. 검사했는데 CT상 이상 없고 가벼운 뇌진탕이에요. 지금은 혈압도 안정됐어요.

그러면서 가리키는 곳. 잠든 고은의 모습에.

수현	(그제야 다리에 힘 풀리며) 허!

57씬   N, 방송국

조정실, 오디오 레벨 테스트 등 각 스태프들 정신없이 움직이고.
PD "헤드라인 보여 주세요." 급히 체크 및 순서 확인하고.
스튜디오, 준비를 마친 수호가 올라서고.

방송국 사이사이 컷컷 보이는, 혜금과 한상의 상황.

58씬   cut to, N, 금 갤러리 앞

혜금, 장부 챙겨 들고, [지금 출발해요.] 문자 보내고는 시동 걸고.

앵커석 뒤편 커다란 스크린 화면, 초대 게스트 김준 얼굴 크게 뜨고.
동시에 수호와 반대편에서 스튜디오로 올라서는 김준.

59씬   cut to, N, 선율의 원룸 앞

한상, 주변을 살피며 능숙하게 문 따고. '오케이. 들어간다.'

드디어 뉴스룸 한가운데. 마주 서는 수호와 김준.
여유 있는 미소로 악수하는데 묘한 긴장감 흐르는.

60씬   N, 한국대 병원, 응급실

수현, 고은 옆을 지키며 앉아 있는…
가만히 주름진 고은의 손을 잡아 보는데 눈빛 점점 서늘해지는…
그때, 달려오던 유리, 놀란 채!

| 유리 | (고은의 모습에 입 틀어막고) 엄마….

수현, 유리의 모습에 그제야 천천히 일어나고.

| 수현 | 잠깐 엄마 좀 부탁하자.
| 유리 | (놀란 채) 언닌…?

대답 대신 더욱 차가워진 눈빛으로 나가는 수현.

61씬   **N, 한국대 병원, 주차장**

시동을 거는 수현의 눈빛, 무섭게 서늘해지고.

62씬   **N, 선율의 원룸 건물 앞**

문 '쾅!' 닫고 내려서는 수현.
원룸 계단을 오르고 복도를 지나쳐 드디어 도착한 선율의 원룸 앞.
그 어느 때보다 매서운 수현의 눈동자.
초인종 누르려는 순간, 조금 열려 있는 문.

63씬   **N, 선율의 원룸**

수현, 들어오는데 인기척이 없는.
불 켜면, 그제야 눈에 들어오는 선율의 물건들.
찬찬히 훑어보는 수현.
그러다 책장에 꽂혀 있는 수현의 책 '시절 인연'

수현, 서늘하게 책을 뽑아 눌러보다가, 거칠게 다시 밀어 넣는 순간,
아주 미세하게 살짝 움직이는 책장.

수현   (흠칫)

잠시, 책장을 살펴보던 수현, 그대로 힘껏 미는데, 책장 돌아가고.
그 안으로 펼쳐진….

64씬   **N, 암실**

어두운 공간.
수현, 벽을 더듬어 불을 '탁!' 켜는 그 순간,
360도 확 돌아가며.

수현의 과거부터 현재까지의 모습이 담긴 사진들 걸려 있고.
건우, 고은, 유리, 수호의 모습들.
수현의 기사까지 암실 벽에 빽빽한.

온통 자신의 사진으로 도배된 암실 한가운데.

수현, 충격과 분노로 뒤엉킨 채!

65씬   **N, 도로**

선율의 차, 달려오고.

66씬   **N, 선율의 동네 인근 도로**

선율의 차, 진입하는 그 순간,

저 앞으로 불쑥 튀어나와 서는 수현.

선율, 놀라 급브레이크.

수현, 선율의 차를 양팔로 가로막은 채 바라보는 핏발 선 눈빛.

그 눈빛을 읽은 선율의 눈빛에도 분노가 차오르고.

그렇게.

'부웅. 부우웅' 액셀 끝까지 밟으며 속도 힘껏 올리면서,

그대로 수현에게로 돌진하는 선율의 눈빛.

vs.

눈 하나 깜짝하지 않은 채 똑바로 응시하는 수현의 눈빛 위로,

헤드라이트 쏟아지며.

9화 엔딩

WONDERFUL WORLD

원 더 풀 월 드

- 10화 -

나
끝까지
가야겠어

1씬	**N, 한국대 병원 앞**

천천히 입구를 나오는 수현의 차가운 눈빛 위로, 컷컷 되며.

플래시백   식당 (9화 55씬)
수현이 본 식당 안, 엉망이 된 바닥. / (cut)

수현	엄마는요? / (cut)

선율 e	그쪽 엄마, 나랑 있어요. / (cut)

수현, 심장이 '쿵!' / (cut)

주차된 차에 올라타며 거칠게 시동 걸고 출발하는 수현.

2씬	**N, 도로, 달리는 수현의 차 안**

점점 속도를 높이는 수현… 그 위로 계속.

선율 e   내 신념은 말이야.

플래시백 　(9화 27씬)
수현에게로 위협적으로 걸어와 그 앞에 딱 멈추어 서는 선율.

선율   죽음엔 더 큰 죽음으로.

'끼이이이익-' 급브레이크와 함께.

3씬   **N, 폐차장 앞**

멈추어 서는 수현의 차.
잠겨 있는 폐차장 문을 거칠게 두들기는 수현. 인기척 없고.

4씬   **N, 선율의 원룸 앞**

달려오는 수현의 차.
멈추어 서자마자 문 '쾅!' 닫고 내려서는 수현.
어떻게든 오늘 권선율 너를 만나야겠다는 의지로 올려다보는데.

5씬   **N, 선율의 원룸 계단 + 복도**

그렇게 계단을 오르고 복도를 지나쳐 드디어 도착한 원룸 문 앞.
(마침 나오던 한상, 발소리에 반대편으로 휘리릭 / 현장 변경 가능)

수현, 매서운 눈빛으로 초인종 누르려는 순간,

조금 열려 있는 문.

6씬	**N, 선율의 원룸**

들어서는 수현. 주변을 살피다 불 켜면 한눈에 보이는 선율의 공간.

쫙 스캔하며 훑어보다가, 책장 쪽 시선.

그 앞에 서면, 의대 관련 서적들 사이에 수현의 책 '시절 인연'

확 잡아 뽑아 드는 수현, 서늘하게 눌러보다가 거칠게 다시 밀어 넣는 순간.

e	삐그덕.

미세하게 움직이는 책장.

수현	(흠칫)

잠시 책장을 살펴보다가,

수현, 그러다 순간 그대로 힘껏 미는데 책장 돌아가며.

7씬	**N, 암실**

또 하나의 어두운 공간.

당황한 채 서 있던 수현, 벽을 더듬어 불 '탁!' 켜는 순간,

수현의 눈앞에 펼쳐진, 온통 '수현' 사진으로 도배된 한가운데,

수현, 충격으로 얼어붙고!

수현을 중심으로 360도 돌아가는 암실 속.
사진들 하나하나, 그 당시 상황과 목소리, 어지럽게 섞여서 들리며.

철커덩 소리와 함께, 출소하는 수현의 얼굴. (2화 60씬)

태호가 수현을 만나 반가워하던. (3화 33씬)

태호 e   형수님~!

브런치 카페에서 웃고 있는 수현, 고은, 유리. (3화 40씬)

수현의 손목에 시계 채워 주는 수호. (3화 35씬)

수호 e   우리, 다시 같은 시간을 걷자.

고은, 고무장갑 낀 손으로 수현과 유리 입에 김치 넣어 주고.
노래 부르는 소리. (6화 50씬)

한의원, 수현과 가족들이 함께 들어가며 나누는 목소리.
(7화 17씬)

사진 속 상황! 그때의 목소리! 그리고 이걸 찍었을 선율의 시선!
모조리 수현의 얼굴 위로 정신없이 시끄럽게 엉키면서 돌아가고.

수현, 떨리는 손으로 한 장 한 장 뜯다가 점점 감정 격해지며 잡아 뜯는 손에
도 더 감정이 실리고.

그러다 그만 휘청. 뒤쪽을 짚는데 마우스 툭!
그 순간, 켜지는 모니터 화면, 자동으로 재생되며.

편집된 수현의 영상 속   (1화 48씬)
후회하지 않습니다.
후회하지 않습니다.
후회하지 않습니다.

수현, 분노와 슬픔으로 뒤엉킨 채!
점점 차오르는 수현의 눈동자에서.

'쿵!' 블랙아웃.

타이틀 <원더풀 월드>

8씬   (F.I) N, 뉴스룸
           방송 준비로 분주한 분위기 속,
           수호에게 마이크 채워 주고, 의상과 머리 체크하는 스태프들.
           '조명 더 내려 주세요!'
           '오디오 체크 부탁드립니다.'
           '프롬프터 게스트 속도 맞춰 주세요.'

           그때, 수호의 휴대폰 문자 수신음.
           혜금, [지금 출발해요.]

수호, 정면에 디지털시계 확인하는데, 다시 문자 수신음.

한상, [나 도착. 윤혜금 오면 같이 올라갈게.]

의지를 다지는 수호의 눈빛.

순간, 앵커석 뒤편 디스플레이에 초대 게스트 김준 얼굴 크게 뜨고.

동시에 스튜디오 문 열리며 등장하는 김준.

수호, 자리에서 일어서고.

그렇게, 마주 서는 두 사람. 미소로 악수하지만 묘한 긴장감 흐르고.

김준	아이고~ 이리 보니 더 반갑십니다.
수호	이렇게 나와 주셔서 영광입니다.
김준	내 오늘, 강 국장만 딱 믿고 갑니다? 살살 좀 해 주이소~
수호	(눈빛) 살살하면 재밌나요, 제대로 생방송의 묘미를 느껴 보시죠.
	오늘, 기대하셔도 좋습니다.

라면서 김준을 바라보는 수호의 눈빛 위로.

9씬 **(회상) N, 몽타쥬, 은밀한 곳. (ex. 한상의 금은방, 혹은 오피스텔)**

사실은 그동안 준비해 왔던 수호와 혜금, 한상의 모습.

수호, 화이트보드에, 김준, 준성 재단 비자금, 페이퍼 컴퍼니, 미술품 거래 차익… 등 적어 내려가며 설명 중이고. (cut)

점점 쌓여 가는 컵, 먹다 남은 샌드위치, 버려진 서류 등. (cut)

수호, 혜금과 동선을 맞춰 보고.

"이 자리에 증인이 나왔다고 하면, 그때 이쪽으로."

혜금, 시키는 대로 걸어 나오고.

한상, 두 사람에게 자료들 갖다 주고. (cut)

10씬　　**(현재) N, 뉴스룸**
그 시간이 있었기에, 수호, 결의에 찬 눈빛으로 김준을 바라보고.
그 위로.

카메라에 들어오는 빨간 불. 시그널 음악과 함께.

수호　　안녕하십니까. 강수호입니다.
이번 주 강수호의 뉴스 초대석에서는 유력한 대선 후보인 한국연합당의 김
준 후보를 모셨습니다. 후보님 어서 오십시오.

김준, 사람 좋은 웃음과 함께 카메라 바라보며.

김준　　안녕하십니까, 김준입니다.

11씬　　**N, 방송국 로비**
화면 속, 수호와 김준의 영상 흘러나오고 있고.
한상, 그 앞에서 초조하게 입구 쪽 바라보며 전화 걸면서.

한상　　왜 이렇게 안 와?

12씬　　**N, 금 갤러리 주차장**

가방에서 울리는 휴대폰 벨 소리.

혜금, 꺼내지도 못하고 그대로 얼어붙은 채…!

혜금을 둘러싼 장정들.

13씬　　　**N, 광장 앞**

사람들, 지나가면서 혹은 서서 전광판 올려다보면,

김준, 열변을 토하는 중이고.

14씬　　　**N, 부조정실**

'2번 카메라'

'줌'

'스탠바이'

'3번 콜'

피디　　　(수호에게) 마지막 질문 갑니다!

15씬　　　**N, 뉴스룸**

인이어로 들리는 피디의 말에 수호, 앞을 보면.

프롬프터 속

<국민들이 김준을 대통령으로 선택해야 하는 이유>

수호, 손에 쥔 질문지 내려다보는 눈빛에 결심이 섰고.

수호	김준 후보님. 준성 재단을 통해 비자금 만든 사실이 있습니까.
김준	(당황)
수호	사실 확인을 위해 이 자리에 준성 문화 재단 산하, 금 갤러리 윤혜금 관장이 나와 주셨습니다.

저쪽에서 한상과 함께 서 있던 혜금, 긴장한 채 걸어 나오고.

| 김준 | (동시에 벌떡 일어나며) 지금 뭐 하는 거야?! |

웅성대는 스태프들 속에서 결의에 찬 수호의 눈빛, 그 위로.

| 피디 e | (인이어로 들리는) 국장님 뭐 하세요? 마지막 질문요! |

보면, 상상이었고. 연기처럼 다… 사라지고…
서 있는 스태프들 사이에 한상과 혜금은 없고.
수호, 그제야 김준을 바라보고는.

수호	김준 후보님.
김준	(수호를 향해 짓는 묘한 비웃음 섞인 미소로) 네.
수호	(하려던 질문지 천천히 덮고는) 국민들이 김준 후보를 대통령으로 뽑아야 하는 이유는 무엇입니까?

그 질문에 김준, 통쾌한 미소로 카메라 앵글 바라보며.

| 김준 | 요즘 아주 미친놈들이 천지삐까립니다.
길 가다가 노약자 걷어차고, 아무나 찔러 죽이고 술 마시고 차로 들이받고! |

누구보다 강 앵커가 분개할 일 아입니까.

수호   (질문지 꽉 움켜쥐는 위로 계속)

김준   이거 어디 무서워 발 뻗고 살겠냐고요.

　　　　가뜩이나 우리 국민들 살기 얼마나 빡빡합니까.

　　　　저요, 다른 거 없습니다.

　　　　여성분들 밤거리 편하게 다니고!

　　　　어린이, 노약자, 안전하게 살 수 있고!

　　　　선량한 사람, 억울한 일 당하지 않고!

　　　　그러려면 나쁜 짓 하는 놈들, 봐주면 안 됩니다!

　　　　지들 죄만큼 똑같이 처벌 받고! 처넣어 버려야 한다 이겁니다!

　　　　좋은 세상이요? 것도 다 살 만해야지요.

　　　　저 김준이는 좋은 세상이 아니라 살 만한 세상 만들라꼬 나왔십니다.

　　　　좀! 살아 봅시다!

INS   *거리 / 병원 / 명희의 공간*

　　　　여기저기서 스마트폰으로 김준 방송을 보는 사람들.

　　　　"어우! 속 시원하다!"

　　　　"맞아, 이런 대통령이 나와야 해!"

　　　　열광하는 사람들.

　　　　진료하던 태호도, 또 명희도 각자 TV 속 김준과 투샷이 잡힌 수호를 뿌듯하

　　　　게 바라보고.

　　　　컷 튀면.

　　　　불 꺼지는 <ON AIR>

스태프들, '수고하셨습니다!' 소리치면,
비서관, 황급히 달려와 김준을 보좌하고.

사장   (달려와) 아이고 의원님 고생하셨습니다. 지금 반응이 뜨겁습니다!
김준   (수호 들으라는 듯) 이게 다 강 국장 덕이지요. 덕분에 지지율 좀 올라가겠습니다~

수호, 타이 풀어 헤치며 그대로 박차고 나가는 걸,
승자의 미소로 바라보는 김준.

16씬   N, 방송국 복도
양 주먹 불끈 쥐고 걸어오는 서늘한 눈빛의 수호⋯ 그 위로.

플래시백   (8씬 확장 씬)

수호   오늘, 기대하셔도 좋습니다.

그렇게 돌아서는 그 순간.

김준   아차, 빈손으로 오기 뭐 해가 내도 선물 하나 들고 왔는데.
        이건 어떻십니까.

수호, 돌아보는데, 김준이 내미는 것, <수호 & 유리 불륜 사진>

수호   (눈빛)
김준   내 밑에 있는 아가 갖다 주데요?

수호	(양 주먹 꽉⋯)
김준	(승자의 미소로) 내 뭐라 켔나? 내가 안 보냈다 켔재?
	근데, 내가 요래 쓸 줄은 몰랐네?
	어떻게⋯ 생방송 묘미를 확 올려 주겠십니까.

현재 국장실

문 '쾅!' 닫고 들어오는 수호.

김준 e	내 밑에 있는 아가 갖다 주데요?

어금니 꽉 깨물던 수호, 그대로 질문지를 벽에 집어 던져 버리고.

17씬 **N, 호숫가**

적막 속, 선율, 소주를 뿌려 주는. 그 위로.

플래시백

상복 입은 선율이 유골을 뿌리던 모습과 겹쳐 보이며⋯.

묵묵히 호숫가를 바라보는데⋯ 그 눈빛 위로.

18씬 **(회상) D, 호숫가 (2화 65씬의 상황)**

유골을 뿌리는 선율과 그 옆에서 흐느끼는 은민.

선율	(차오르는 분노) 아빠 이렇게 만든 여자, 내가 죽여 버릴 거야!

절대 용서 안 해!

은민　(흐느끼면서도 그런 선율을 말리며) 안 돼. 선율아, 그러지 마…

다 덮자… 그 여자 미워하지 마.

선율　(발끈) 엄만 왜 자꾸 그 여자 미워하지 말라 그래?!

왜 그 여자 감싸는데?!

은민　(울컥) 엄마도 아빠 잃은 거 슬퍼. 그치만 그 여자도 불쌍한 여자야. 제발 미워

하지 마. (애원하듯) 약속해 줘. 엄마가 부탁할게.

현재　N, 호숫가

선율　(서늘해지며) 엄마 미안해. 난 끝까지 가야겠어.

19씬　**N, 방송국 로비 + 로비 앞 김준의 차**

걸어 나오는 김준.

따라 나오며 비서관, 열심히 아이패드 보며 브리핑하고.

비서관　(빠르게) 방송 이후 실시간 반응이 뜨겁습니다.

캠프 전략팀에서는 의원님 지지율 10% 상승, 예측하고 있습니다.

김준　(흡족한 미소) 강수호 속 좀 쓰리겠구먼.

비서관, 김준의 차 뒷문 열어 주고, 김준, 뒤에 올라타면서.

김준　연결해라.

비서관　네! (바로 전화 걸고)

20씬	**N, 혜금의 집, 거실 / 김준의 차 안 (통화 / 교차)**

장정, 혜금에게 휴대폰 건네면.

혜금	(벌벌 떨며) 여보세요…?!
김준	(서늘) 니, 짐 싸랬더니 뭔 일을 꾸미노. (버럭) 내 모를 줄 알았나?!!
혜금	(납작 엎드리며) 잘못했습니다! 죽을죄를 지었습니다!!
김준	(눈빛 돌변) 그라믄 죽어라.
혜금	(허!)
김준	겁대가리 없는 짓을 벌여 놓고도 니 새끼 보고 살라캤나?
혜금	(덜덜 떨며) 안 돼요! 의원님, 우리 희재 어딨어요? 희재는 안 돼요!!
김준	(버럭) 시끄럽다!! 내 가는 길에 걸림돌이면 자식새끼고 뭐고 없다.
	내한테는 다 똑같은 벌레 새끼다.
혜금	(입 틀어막고)
김준	(무섭게) 까딱하면 밟혀 죽는다. 마지막 경고다.

김준, 탁 끊어 버리고. 표정 싹 풀리며.

김준	(비서관에게) 그래, 우리 선율인 어딨다고?

21씬	**N, 혜금의 집, 거실**

혜금, 숨도 제대로 못 쉬겠는 그때,
현관 열리며 '엄마아아!!' 울음 터뜨리며 뛰어 들어오는 희재.
혜금, 놀라 희재를 부둥켜안고.

혜금	희재야!!! 어디 다친 데 없어? 괜찮아? (미친 듯이 희재 몸을 확인하다가 다시금 안고)

놀랐지, 엄마가 미안해… 미안해….

철수하는 장정들 속에서 그렇게 오열하는 혜금과 희재.

22씬　　　**N, 크롬썬 앞**

김준, 비서관이 열어 주는 차에서 막 내리고.
저만치 정장 차림으로 기다리고 있던 선율. 깍듯이 인사하면.

김준　　　(선율 훑어보더니) 인마, 이래 입으니 쥑이네.
선율　　　(…)
김준　　　내 오늘 니 덕 좀 봤다. (따뜻하게 어깨에 손) 들어가자.
　　　　　(따라 들어오려는 비서관에게) 니는 그만 가라.

비서관 멈칫하다가 얼른 들어가는 김준을 향해 90도로 인사.
어쩐지 좀 밀려난 기분으로 들어가는 김준과 선율을 눌러보고.

23씬　　　**N, 크롬썬 복도**

가드들의 안내를 받으며 김준의 뒤를 따르는 선율의 눈빛.

24씬　　　**N, 시크릿 룸**

그렇게 열어 주는 문 안으로 들어서는 김준. 그리고 선율.
테이블에는 값비싼 양주로 고급스럽게 세팅되어 있고.
뭔가 은밀한 대화 나누던 사람들, 서둘러 일어서서 허리 숙여 인사하는데,

다름 아닌.

플래시백   건우 사건 때의 변호사, 판사, 검사. (1화 44씬)

김준, 상석에 앉으며 선율을 자신의 오른편에 앉히면.

변호사   이 친구가 그 권지웅 씨 아들입니까.
김준   인사해라. 니 아버지 일 봐줬던 분들이다. 여기 있는 사람들, 전부 내 사람들
        이다.

선율, 그들과 인사 주고받고 명함 받는 선율을 바라보는 김준.

크롬썬 밖으로 야경 펼쳐지고.

25씬   **N, 선율의 동네 야경**
        선율의 동네에서 짙어지는 어둠.

26씬   **N, 선율의 원룸, 암실**
        여기저기 찢어진 사진들 널브러진 가운데…
        수현, 분노와 충격은 가라앉은 채…
        천천히 몸 일으키고 나가려는데…
        한쪽에 놓여 있는 지웅과 은민과 선율의 가족사진.

        그걸 바라보는 수현의 눈빛.

27씬	**N, 도로, 달리는 선율의 차**

신호에 걸려 멈추어 서는 차.

선율, 무심히 휴대폰 전원 켜는데, 들어오는 부재중 전화들 속,

'은수현' 이름 계속 뜨고.

무시하고는 다시금 출발하는 선율.

28씬	**N, 선율의 동네 인근 도로, 선율의 차 안**

선율의 차, 진입하는 그 순간,

저 앞으로 불쑥 튀어나와 서는 수현.

선율, 놀라 급브레이크.

수현, 선율의 차를 양팔로 가로막은 채 바라보는 핏발 선 눈빛.

그 눈빛을 읽은 선율의 눈빛에도 분노가 차오르고.

이내 곧, '부웅. 부우웅' 액셀 끝까지 밟으며 속도 힘껏 올리면서,

그대로 수현에게로 돌진하는 선율의 눈빛. 그 위로.

플래시백   호숫가 (9화 27씬)

수현	나는, 건우 엄마로서 부끄러운 것도, 후회하는 것도 없어.

눈 하나 깜짝하지 않은 채 똑바로 응시하는 수현의 얼굴 위로,

헤드라이트 쏟아지고.

죽여 버릴 듯이 바로 코 앞까지 액셀을 밟던 선율.

치기 직전 '끼이이이익-' 급브레이크.

선율, 안전벨트 거칠게 풀고 차에서 내려 끝까지 피하지 않은 수현 앞에 서며.

선율   (어금니 꽉) 뭐 하는 짓입니까.

수현, 그런 선율을 결연한 눈빛으로 똑바로 응시하다가.

수현   언제부터니. 나 쫓아다닌 거.
선율   (흠칫)
수현   너, 누군지 알아.

흔들림 없이 서로를 똑바로 응시하는 두 사람.
순간 선율, '푸흡!' 비웃다가 도로 무섭게 표정 확 구겨지며.

선율   (냉소) 알았으면 빌어야 하는 거 아닌가.
수현   빌면? 여기서 멈출래?
선율   왜? 엄마까지 쓰러지고 보니 이제야 아파?
수현   (단호) 차라리, 네 신념대로 해. 날 죽여.
선율   (발끈) 아니! 그렇게 쉽게 끝낼 거였으면 당신이 출소하는 날 했어!
수현   그래서! 아픈 네 엄마 팽개쳐 놓고 한다는 짓이 고작 이런 복수야?!
선율   (흠칫) 감히 내 엄마 얘길, 당신이 뭘 안다고!

순간.

수현   네 엄마, 사고 아니라 사건이잖아.
선율   (심장이 쿵!)

선율, 전혀 예상치 못한 수현의 말에 그대로 얼어붙는… 그때!
저만치 차 한 대, 서 있는 선율을 향해 빠르게 달려오고.
오직 수현만을 바라보며 서 있는 선율을, 확 잡아당기는 수현.
간발의 차이로 지나쳐 가는 차.

선율   (잡힌 팔 확 빼 버리고) 방금 그거 무슨 말이야? 그걸 어떻게 알아?!
수현   (쟁쟁하게 부딪치는 시선으로) 가족을 잃은 심정은 나도 알아.
         너 네 엄마 지켜야 하잖아, 나도 우리 엄마 지켜야 해.
         네가 진짜 해야 할 일이 뭔지 똑바로 봐.
선율   (듣기 싫고) 당신이 그런 말 할 자격 있어? 내 엄마 일에 상관하지 마!

그렇게 자리 뜨는 선율.
출발하는 선율의 차를 지켜보는 수현.

29씬   N, 국장실
창가에 선 수호, 굳은 눈빛으로 한참을 내다보는데.
그 위로 그동안 김준 때문에 참았던 순간들 주마등처럼 흘러가고.

플래시백

김준   강 기자는 무서운 게 없나 봅니다? /
         보이소, 그날입니다. (2화 28씬)

수호   얼마 전에 아내가 출처 없는 선물을 하나 받았습니다. /
김준   내가 보낸 걸로 생각하는 거 보이, 꽤 값비싼 물건인가

봅니다? (5화 34씬)

김준   강 국장은 반드시 내한테 올겁니다~ 우리 내기할까요?

                     (7화 34씬)

그때, 문 열고 들어오는 한상.
못마땅한 심정으로 테이블에 툭 던지는 USB.

한상   권선율 카메라에 들어 있는 사진들만 카피 떴어. 나머진 다 깨끗해.
수호   (낮은) 윤혜금 씨는.
한상   (열불 나고) 안 왔어. 너 뭐랬어? 윤혜금 믿을 수 있다며?!
수호   김준이 그랬을 거야.
한상   그럼 그냥 너라도 터트리지! 너 목 날아갈 각오까지 했으면서!
           나도 윤혜금도 여기까지 어떻게 준비했는데!

수호, 한상을 똑바로 바라보고는.

수호   형, 나한테 계획이 있어.
한상   (흠칫)

수호의 눈빛, 뭔가 결연해지고.
그때, 울리는 전화. 액정 '태호'

수호   (받으며) 어. (흠칫) 뭐…?

30씬	N, 선율의 원룸

선율, 굳은 채 들어오는데,
저기 수진이 쇼핑백 들고서 얼어붙은 채 서 있고.

수진	서, 선율아…?

그런 수진 뒤로… 반쯤 열린 책장을 바라보는 선율의 눈빛.

31씬	N, 암실

선율, 들어와 서면, 난장판이 되어 있는 암실.
여기저기 바닥에 나뒹구는 수현의 사진들.
누구 짓인지 알겠고.

수진	(차마 들어오지도 못하고) 이게 다… 뭐, 뭐야….
선율	(…)
수진	누가 이런 건데?
선율	(담담한) 그 여자가 왔다 갔어.
수진	(허!) 그 여자, 다… 알았구나?!
선율	(좀 지친 마음으로) 수진아… 나중에 얘기하자….
	오늘은 그냥 가.

수진, 어째 선율이 힘들어 보여서 차마 더 말 못 붙이겠고.

32씬	N, 터프팅 공방

수진, 쇼핑백 든 채로 들어와 털썩 앉는데… 그제야 쇼핑백 보고는,
그러면서 꺼내 들면 완성된 선율의 얼굴.

수진   (그걸 보니 더 마음 아프고…) 못 주고 왔네….

33씬   **N, 선율의 원룸**

선율, 옷도 안 갈아입고 침대에 누운 채…
팔로 가린 얼굴… 그 위로.

플래시백

수현   네 엄마, 사고 아니고 사건이잖아. (28씬)

흔들리는 선율의 눈동자… 그 위로.

수현 e   선율아. 너도 네 엄마 지켜야 하잖아, 나도 우리 엄마 지켜야 해.

플래시백   쓰러진 고은 앞에 서 있던 선율. (44씬)

현재

더욱 흔들리는 선율의 눈동자.

34씬   **N, 병원 1층 로비 (한산하고 어두운)**

수현, 지친 마음으로 들어와… 한켠에 우두커니 자리 잡고 앉는….

플래시백 암실에서 봤던 사진들. (7씬)

그렇게… 아무도 없는 공간 속… 혼자 앉아 있는… 그때,
문자 수신음.

유리 e 언니… 엄마 병실로 옮기셨어. 수호 씨 와 있어.

표정 없이 바라보는 수현의 눈빛.

35씬   **N, 고은의 병실**
잠든 고은의 얼굴을 바라보는 수호의 복잡한 심경.

cut to   고은의 병실 앞
수호, 힘든 마음으로 나서는데 걸어오던 수현과 마주쳤고.
수현 보기 마음이 안 좋지만….

수호 태호가… 그러는데… 며칠 경과 지켜보자고.
수현 … 가.
수호 어머니… 깨어나실 때까지만.
수현 (그런 수호를 바라보다가 아프지만) 당신, 건우 아빠만 해.
수호 (차오르는 아픔…)

수현, 그렇게 단호하게 병실 안으로 들어가며 닫히는 문.
수호, 그렇게 혼자 남겨진 채….

36씬	N, 고은의 병실

수현, 잠든 고은 옆에 앉는데…

쓰러진 고은의 손을… 얼굴을… 매만지는 수현…

이게 다 자신 때문인 거 같아서… 너무나 마음이 힘들고…

고통 속에서 깊어 가는 밤….

(F.O)

37씬	(F.I) D, 한국대 병원 외경

38씬	D, 동, 고은의 병실

밤새 고은 곁을 지키는 수현…

그때.

고은 e	수현아….

고개 들면 깨어나는 고은….

수현	엄마!
고은	(이제 좀 정신이 드는지) 나 어떻게 된 거냐.
수현	(속상하고) 식당에서 쓰러졌었어.
고은	(수현에게 전혀 티 내지 않으며) 참, 가게는? 오늘 단체 손님 예약돼 있는데.
수현	엄만, 지금 그게 문제야?
고은	(다독여 주며) 나 이제 괜찮아, 그만 집에 가자.
수현	(저지하며) 안 돼. 병원에서 더 안정 취하랬어. 그렇게 하자. 엄마.
	그래야 내가 마음이 놓여.

고은	괜히… 너만 고생시키네….

그제야 서로를 바라보는 두 사람.
수현, 고은의 손을 꼭 잡아 주고.
고은, 역시 그런 수현을 먹먹하게 바라보는데….

수현	(꾹꾹 누르며) 엄마… 나한테 엄마가 얼마나 소중한지 알지?
고은	(흔들리는 눈동자)
수현	나는… 엄마만 있으면 돼. 어떤 일이 닥쳐도 엄마만 있으면 버틸 수 있어.

고은, 수현이 무슨 마음으로 하는 말인지 다 알기에,
무너지지 않으려….

고은	엄마도. (더 강해지려) 엄마도 너만 있으면 돼. 너만, 괜찮으면 돼.

39씬	**D, 고은의 병실 앞**

유리, 그걸 들으며 서 있는데… 차마 들어가지도 못한 채로….

40씬	**D, 병원 일각**

수현, 나와 서는데,
저만치 기다리고 있는 유리.

수현	(불안해 보이는 유리 모습에) 왜 안 들어오고.
유리	(떨리는 눈동자) 언니… 엄마… 나 때문에 쓰러진 거 같아….

수현, 무슨 소린가 싶어 쳐다보는 눈빛에서.

41씬　　　**D, 폐차장**
용구는 자동차 폐차 중이고.

한쪽 구석에 앉은 선율, 노란 봉투에서 꺼내 드는 수호의 불륜 사진.
그걸 보는 눈빛 위로.

42씬　　　**(회상) D, 고은의 식당 앞**
도착한 선율의 눈에 저만치,
유리가 문 앞에 서서 들어가지도 못한 채…
그러다, 크게 심호흡하고 간신히 다잡고는 들어가는 모습을,
바라보는 선율의 눈빛.

43씬　　　**(회상) D, 고은의 식당 안**
유리, 애써 아무렇지 않게 들어오며.

유리　　　엄마 나 왔어~

나물 다듬던 고은, 유리를 빤히 쳐다보는데 어쩐지 표정이 어둡고.
실은 그날 청담 숍에서의 소동이 계속 마음에 걸렸던 것.
유리, 그런 고은의 눈을 차마 못 보겠어서 어색하게 마주 앉자.

고은	(뚫어져라 보다가) 너, 무슨 일 있지?
유리	(움찔) 어?
고은	유리야. 나한텐 사실대로 말해도 돼.
유리	뭐, 뭐가?
고은	그날 네 친모가 한 말, 믿는 도끼에 발등 찍힌다니 그게 무슨 소리냐?
유리	(점점 굳어지고…)
고은	너한테 주고 간 사진은 또 뭐고?
유리	(허!)

INS   *유리가 꺼내 드는 수호와 유리의 불륜 사진. (9화 14씬)*

유리, 차마… 꽉 거머쥐는 양 주먹 덜덜 떨리는.
한 번도 본 적 없는 당황한 유리 모습에 고은의 가슴도 떨리기 시작.

고은	설마… 그 사진….
유리	(요동치는 눈동자)
고은	(아니겠지… 아니겠지…) 그 여자가… 너냐?

'아니라고 해야 하는데… 잡아떼야 하는데…!'
그만 아무 대답도 못 한 채 쏟아지는 유리의 눈물에.

| 고은 | (그만 머릿속의 현이 '탁!' 하고 끊어지며) 허…! |

유리, 얼른 넋이 나간 고은 앞에 무릎 꿇고 매달리며….

| 유리 | (빌면서) 잘못했어…! |

고은	(멍…)
유리	(매달리며) 잘못했어요. 엄마. (순간)
고은	(처음으로 유리에게 무섭게) 엄마라고 부르지도 마.
유리	(허!)

고은, 억장이 무너지면서도… 온 힘을 다해 차분하려….

고은	수현이도… 알아…?
유리	(미칠 것 같은 심정으로 끄덕이면…)

고은, 수현이도 안다는 사실에 또 한 번 무너지며 가슴을 움켜쥐고.

유리	(울컥) 엄마.
고은	(간신히) … 가라.
유리	(허!)
고은	(끝까지 무너지지 않으려 겨우 참아 내며) 당분간… 수현이 앞에 나타나지 마. 너 보면 힘들 거다. 여기도 오지 말고. (유리를 보는 게 너무 고통스럽고) 가라, 유리야.

유리, 온 세상이 무너진 채…!

44씬　　**(회상) D, 고은의 식당 앞**

유리, 흐느끼며 나와 걸어가는 뒷모습을,
한쪽에 기대선 채 다 지켜보고 있던 선율.
선율, 창 너머 숨죽여 흐느끼는 고은의 모습을 잠시 바라보다가,
들고 있던 봉투를 더 꽉 거머쥐는 손.

선율, 그렇게 그 봉투를 들고 식당 문 열고 들어가는데.

cut to   D, 고은의 식당 안
고은, 문 여는 소리에 얼른 눈물 훔치고는 선율을 보더니.

고은   어… 왔어. (자리에서 일어나며) 앉아.

선율, 더 꽉 봉투를 움켜쥐는… 흔들리지 않으려…
그 순간, 고은 갑자기 휘청하며 그대로 쓰러지면서 와장창.

선율   (흠칫) 사장님? 사장님!

의식 없는 고은 모습에, 선율, 순간적으로 고은을 둘러업고.

45씬   **(회상) D, 응급실**
선율, 고은을 업고 땀 뻘뻘 흘리며 뛰어 들어오는.

선율   여기 좀 봐주세요!

컷 튀면.

선율, 땀범벅인 채로 의식 없는 고은을 내려다보는데…
어디선가 진동으로 들리는 고은의 휴대폰 소리.
찾아 드는데, 액정 '수현이'

선율	(잠시 보다가…) 여보세요.
수현 e	(선율의 목소리에 심장이 쿵) … 왜 네가 받아.
선율	그쪽 엄마, 나랑 있어요.

컷 튀면.

저만치 수현이 응급실로 달려오는 걸 한쪽에서 지켜보던 선율.
그제야 안심하고 자리 뜨는.

46씬　　**(현재) D, 폐차장**

선율, 드럼통 불 속에 툭 집어넣는 사진. 점점 까맣게 그을리는데,
그 위로 컷컷 되며 떠오르는.

플래시백　고은의 식당
선율이 갈 때마다 "어서 와~" 반겨 주던 고은의 얼굴. (cut)

밥 먹을 때마다 선율을 아들처럼 챙겨 주던 고은의 얼굴.
계란말이도 따로 챙겨 주고, 고기도 듬뿍 주고.
얼른 눈짓으로 많이 먹으라던. (cut)

쏟아지는 비. 우산 없이 식당 밖으로 나와서는 선율, 뛰려는데,
고은 쫓아 나와 우산 쥐여 주고 들어가는. (2화 67씬 별 우산)
바라보는 선율의 눈동자.

현재

타들어 가는 사진을 바라보는 복잡한 선율의 눈빛….

47씬　　　**D, 스파**
명희, 사모 1, 2와 막 관리를 받고 나와 허브티 한 잔과 함께 담소 중.

사모 1　　여기 예약하려면 최소 몇 달은 기본인데. 정 여사 덕분에 호강이다~

사모 2　　이 숍 대표가 강 앵커 찐팬이라잖아. 미혼이라지? 아마?

명희　　미혼이면 뭐. 우리 수호, 와이프 바라기인 거 몰라.

사모 2　　알지~ 아니 근데 채명 그룹 사모는 뭔 그런 말을 해.

사모 1　　(황급히 하지 말라고 쿡 찌르고)

명희　　(눈치 챘고) 왜? 무슨 말을 했는데?

사모 2　　(눈치 보면서도) 아니, 청담 숍 대표 유리 씨 알지? 얼마 전에 카페에서 자기 며느리랑 있더래.

명희　　걔네야 툭하면 붙어 다니는데 그게 뭐.

사모 2　　그게 아니라 자기 며느리 앞에서 엉엉 울면서 빌더래. (사모 1과 눈빛 주고받고) 자기 아들이랑 바람피운 거 같더라고.

명희　　(여유롭게 웃으며) 아이고, 또 이렇게 소설을 쓴다~ 걔네 어릴 적부터 친자매처럼 자란 사이야. 암튼 이게 다 우리 수호 유명세지 뭐.

사모 1　　그렇지?

사모 2　　(맞장구) 우리도 그렇게 넘겼어.

명희　　(여유롭게 차 한잔하며 짓는 미소)

48씬　　　**D, 스파 건물 앞, 명희의 차 (없으면 택시)**
다급하게 오르며, 전화 거는 명희.

명희	너 지금 어디야. (듣더니) 아니, 바빠도 무조건 봐!

49씬　　**D, 카페**

수호, 달려와, 창가에 앉은 명희 앞에 앉으며.

수호	무슨 일이세요. 저 시간 오래 못 빼요.
명희	그래, 나도 단도직입적으로 물으마.
	너, 수현이 매니저 보던 애랑 혹시 딴 짓 했니.
수호	(하… 엄마까지…)
명희	(그런 수호의 표정만 봐도 눈치 챘고) 미쳤구나. 너.
수호	(꾹 참으며) 어디서 들으셨는지는… 모르겠지만, 수현이한텐 아무 말씀 마세요. 만약… 엄마까지 수현이 힘들게 하면, 저 진짜… 죽어요.

명희, 기막힌 감정 간신히 꾹 누르며 양 주먹 꽉 움켜쥐다가….

명희	수현이는 뭐래.
수호	(차마…)
명희	(서늘…) 정 안 되겠다 싶음 이혼해.
수호	(흠칫)
명희	살다가 갈라서는 게 뭐 대수라고.
	대신! 절대로 이혼 사유가 불륜은 안 돼.
	너 이 자리까지 어떻게 올라왔는데 한순간에 와르르 무너지는 꼴?
	나는 못 본다.
수호	(…)

그렇게 먼저 일어나려던 명희.

명희   (원망을 담아 목소리 낮춰) 죽어도 수현이 아님 안 된다며. 그렇게 수현이밖에 없다더니 너 어떻게 이런 짓을, 어디서 이런 더러운 짓을!

떨리는 주먹 꽉 움켜쥐고는, 그렇게 박차고 나가 버리는 명희.
수호, 마음이 힘들고…
계속 그 자리에서 오랫동안 생각에 잠기는….

50씬   **N, 술집**
수호와 팀원들 왁자지껄 회식 중이고.

피디   주목 주목!
이번 주 ABS 뉴스 초대석, 역대급 시청률 찍은 기념으로 강수호 국장님의 건배사가 있겠습니다!

수호   (좋게 만류하며) 됐어.

팀원   강수호! 강수호!

수호   (속은 문드러지는데 겉으로는 프로답게) 여기까지 오는 데 다들 고생 많았다. 언론인으로써 사명감 갖고 함께 임해 줘서 고맙고 앞으로도 진실과 보도 사이에 흔들리는 순간도 많을 텐데 그때마다 잘 싸워 나가자.

수호 술잔 들면 다들 '와아~' 하며 짠하고.
시끄럽게 떠드는 팀원들 속에서 겉으로는 아무렇지 않게 떠들지만,
컷컷 되는 수현의 모습들.

플래시백

당신은 나한테 오지 말았어야 했어! /

내가 가장 견디기 힘든 게 뭔 줄 알아? 너희가 바람피운 거?

그런 너희들인 줄도 모르고 그런 너희들 땜에 내가 살아 보려고 했어.

(9화 32씬)

당신… 건우 아빠만 해. (35씬)

수호, 평정심을 지키려 아무렇지 않은 척. 괜찮은 척.

(시간 경과)

만취한 사람들 속에서 수호도 취했고.

팀원	국장님 진짜 존경합니다! (테이블에 머리 쿵 박으며 잠들고)
수호	(아무도 듣지도 않지만 자신에게 하는 말인 듯) 나 같은 놈… 존경은 무슨… 이렇게 엉망인데….

쓸쓸한… 수현을 떠올리며 먹먹하게 휴대폰을 바라보는데…
메인 화면에 활짝 웃고 있는 수현과 건우의 사진.

51씬	**N, 수현의 집, 거실**
	수현, 수호가 보낸 문자를 바라보는.
수호 e	당분간 회사 일 땜에 못 들어갈 거 같아.

그 문자를 바라보는 수현의 마음도 편치는 않고.

52씬　　　**N, 수현의 집, 서재**

수현, 들어와 자리에 앉는데….

회상

53씬　　　**D, 응급실 수납처**

수현, 수납하고는 인사하고 돌아서는데 문득.

선율 e　　그쪽 엄마, 나랑 있어요. (9화 55씬)

잠시 생각하던 수현. 응급실 쪽 바라보고.

54씬　　　**D, 응급실**

오전이라 조금 한산한 분위기.
수현. 둘러보는데, 고은을 담당했던 간호사 발견하고는.

수현　　　저, 혹시, 어제 응급실로 들어온 오고은 환자, 어떻게 왔나요?
간호사　　(생각하다) 아, 어떤 남자분이 업고 뛰어왔어요.
수현　　　남자…요?
간호사　　가족은 아니라고 하셨는데… (그러면서 접수증 찾아서 주며) 권선율이라고 쓰여
　　　　　있네요.

수현	(흠칫)

현재

생각하는 수현의 눈빛 위로.

수현 e	걘 왜 내 엄마를 도와줬을까.
	내가 무너지는 순간을 기다렸으면서, 그 끝을 눈앞에 두고 왜.

그렇게 한참동안 계속되는 선율에 대한 생각.
어쩌면 선율인 끝까지 갈 성품이 아니라는 걸 파악하는 수현의 눈빛. (F.O)

55씬 **(F.I) D, 수현의 집 외경**

56씬 **D, 수현의 집, 거실 / 기자실 (통화 중)**

수현, 커피 한 잔을 내려놓으며 정진희 기자와 통화 중인.

기자	말도 마세요. 부탁하셨던 김은민 씨 사고 현장 사진 구하느라 진짜 애먹었
	어요.
수현	정말 감사합니다. 기자님. (진심으로) 나중에 기회가 된다면 제가 꼭 인터뷰로
	보답할게요.
기자	(너무 좋고) 그럼 진짜 무한 영광입니다~ (웃으며) 메일로 보냈으니까 확인해 보
	세요. 근데, 아직도 그 사건 파고 계셨어요?
수현	(그저 담담한 미소만…)

| 57씬 | D, 수현의 집, 서재 |

수현, 기자가 보내 준 메일을 확인하는데,
은민이 쓰러진 자리에 그려진 락카와 스키드 마크가 난 도로 사진.

잠시 예리하게 바라보던 수현, 스키드 마크가 눈에 들어오고.
어디론가 전화를 걸더니.

| 수현 | 네, 이 변호사님, 잘 지내시죠? … 제가 좀 여쭤볼 게 있어서요. |
| | 혹시, 교통사고 전문 변호사 중에 소개해 주실 분 있으실까요? |

컷 튀면.

메모지에 적은 이름 <백두대간, 강윤석 변호사 목요일 11시>

| 이 변호사 e | 은 교수 부탁이라 특별히 좀 신경 써 달라고 잘 말했어요. |

수현, '강윤석'이라는 이름을 보는데.

| 수현 | (갸웃) 이 이름 어디서 봤는데…? |

기억을 더듬던 그 순간,
떠오른 듯 황급히 서랍을 뒤져 은민의 판결문을 꺼내 들면,
가해자 변호사 이름 '강윤석' (백전백승 로펌)

| 수현 | 맞아. 김은민 씨 가해자 변호사. |

이때는 백전백승, 지금은 백두대간.

INS   **백두대간 홈페이지**

수현, 소속 변호사들 중, 강윤석 변호사 이력을 확인하는데.

수현   그 사건 끝내 놓고 바로 옮겼네.

그러다 무심히 눈에 들어오는 다른 변호사들.
순간, 수현의 눈빛 요동치고!
수현이 아는 얼굴들. 다름 아닌.

INS   *(1화 44씬)*
수현을 심문하던 변호사 얼굴.
법정에 있던 판사의 얼굴.
그리고 검사의 얼굴.

수현   (의아해서) 건우 사건 맡았던 사람들인데?

얼른 이적 년도를 살펴보던 수현. 흠칫!

수현   모두 건우 사건 직후에 옮겼어.

이게 우연의 일치인가, 어쩐지 이상함을 느끼는 수현의 눈빛에서.

58씬   D, 폐차장
선율, 용구와 함께 땀 흘리며 일하는 중인.
그냥 아무 생각 없이 차라리 일하는 쪽이 마음이 편해서….

그때, 울리는 선율의 휴대폰.
주머니에서 꺼내 확인하는데, 액정 '수진'

선율   (받으며) 어. 나 지금 바빠,
수진 e   (다급) 선율아, 아줌마가 깨어나셨어!
선율   (!)
수진 e   시간이 별로 없어! 빨리 와!

순간, 선율, 그대로 미친 듯이 오토바이 몰고 출발하는.

용구   (놀라) 야 뭐야? 어디가?!

59씬   D, 도로
최고치로 속도를 내 달리는 선율.

선율 e   엄마 조금만 기다려…! 제발…!

60씬   D, 한국대 병원 앞
선율, 제정신 아닌 채로 뛰고.

| 61씬 | D, 병원 로비 |

선율, 누군가와 부딪치면서도 미친놈처럼 달리고.

| 62씬 | D, 계단 |

꽉 찬 엘리베이터 타지 못하자, 정신없이 뛰어오르고.

| 63씬 | D, 14층 복도 |

달리고 또 달리고 가슴을 부여잡고, 통증을 느끼면서도.

선율   제발….

드디어.

| 64씬 | D, 1405호 |

선율, 가슴을 움켜쥔 채로 문 벌컥 열면서.

선율   엄마!

숨도 제대로 못 쉴 것 같은… 가쁜 숨 몰아쉬며 바라보는 곳…
이미… 하얀 천으로 덮인….

선율   (…)

한쪽에서 수진, 주저앉아 울고 있고…

간병인도 마음 아파 자리 비켜 주면….

선율, 천천히 은민에게로…

스르륵… 하얀 천 내리는데… 평온하게 잠든… 은민의 얼굴…

잠시… 그러다….

선율   (가쁜 숨 몰아쉬며…) 엄마… 나 왔어….

수진   (입 틀어막고…)

선율   내가 좀… 늦었지….

차가워진 은민의 얼굴을… 손을… 양 뺨을… 어루만지다….

선율   미안해… 엄마… 내 옆에 있어 주느라… 애썼어…

고생 많았어. 우리 엄마…

고마워….

그렇게 은민을 보내는 선율의 깊은 슬픔….

65씬   **D, 은민의 빈소**

아직 준비 안 되어 제대로 차려지기 전.

수진, 장례식장 직원과 이거저거 고르고 선택하느라 정신없고.

수진   (퉁퉁 부은 눈으로) 관은 이걸로 해 주시고요.

액자랑 수의는 좋은 걸로… 이걸로 해 주세요.

(울컥) 꽃 장식은 100만 원짜리로 할게요.

마침, 은민의 병실에서 짐 다 빼 온 용구, 캐리어 낑낑 들고 와서는.

수진	병실 짐 다 뺀 거야?
용구	어, 별거 없을 줄 알았는데 뭐가 계속 나오더라. 참, 정리하다 보니까 아줌마 코트 안주머니에 이게 있던데?

라면서 꺼내 드는 것, 오래된 휴대폰.

수진	(알아보고는) 이리 줘.

그러면서 상주 대기실을 바라보고.

66씬   D, 상주 대기실

선율, 엄마 주려고 산 구두를 손에 쥐고 벽에 기대앉은 채.

수진	(막 상복 들고 들어와… 한쪽에 내려놓고는) 갈아입어.
선율	(상복을 바라보는…)
수진	(주머니에서 휴대폰 건네며) 이거. 아줌마 짐에서 나왔대. 예전에 아줌마 쓰던 폰 맞지?

선율, 천천히 바라보는데 은민의 오래된 폰. (c.u)

67씬	D, 수현의 집, 다이닝 룸

수현, 차 한 잔 내리며 고은과 통화 중이고.

수현	엄마, 몸은 좀 어때. 알았어. 이따 들를게요.

끊고는,
<백두대간, 강윤석 변호사 목요일 11시> 메모지를 보는.
또다시 백두대간에서 본 변호사들 얼굴 떠오르는 수현의 눈빛.
그때, 울리는 휴대폰. 액정 '태호'

수현	어… 태호야.
태호 e	형수님?! 소식 들으셨어요?
수현	무슨… 소식?
태호 e	(O.L) 선율이 엄마, 돌아가셨대요.
수현	(!)

68씬	N, 장례식장, 복도

오고 가는 사람들.
빈소마다 사람들 우는 소리, 북적대는 조문객들, 늘어진 화환들.
수현, 복도를 따라 주욱 지나서 가장 구석에 위치한….

69씬	N, 은민의 빈소 앞

앞에 보였던 빈소들과는 다르게 조용하고 텅 빈…
모니터에는 은민의 얼굴, 그 아래 <상주 권선율>

수현	(…)

70씬 **N, 은민의 빈소**

썰렁한 가운데 수현, 들어오면,

앉아 있던 수진, 놀라 일어나고. 용구도 흠칫.

용구, 얼른 상주 대기실로.

수진은 적개심으로 수현을 쏘아보고.

71씬 **N, 상주 대기실**

은민의 휴대폰 옆에 망연자실하게 앉아 있는 선율.

그 앞으로, 용구, 문 벌컥 열자마자.

용구	(다급) 선율아! 그, 그 여자 왔어.

순간, 요동치는 선율의 눈동자.

cut to   은민의 빈소

그렇게, 나와서는 선율 앞에 서 있는 수현.

선율	(…)
수현	(…)

잠시 선율을 바라보는 수현… 그 위로.

플래시백   엄마를 살리려고 CPR 하던 선율의 모습. (6화 4씬)

이제 아무도 없는 이 아이를…
하나 남은 엄마까지 세상을 떠나보낸 선율을…
아프게 바라보다가….

수현, 조용히 은민을 위해 진심으로 묵념하고…
헌화하고…
그렇게 서서히 돌아서는 그 모습을….

양 주먹 꽉 움켜쥔 채 똑바로 지켜보던 선율.
그때였다.
갑자기 죽일 듯이 무섭게 수현에게로 성큼성큼!

용구   (놀라 쫓으며) 선율아!
수진   (역시 놀라) 선율아!

미처 선율을 붙잡기도 전, 먼저 수현 앞을 확 가로막아 서는 선율.

수현   (…)

어금니 꽉 깨문 채 수현을 바라보던 선율. 그 순간이었다.

선율   (차오르는 눈물) 도와줘요.
수현   (!)

처음으로 '툭' 떨구는 눈물과 함께, 간절하게 바라보는 선율의 눈동자.

vs.

짧지만 진심인 그 말에 수현도 차오르는 눈물로 바라보는 눈빛에서.

10화 엔딩

WONDERFUL WORLD

원더풀 월드

- 11화 -

내가 결정해

1씬	(과거) D, 프롤로그, 수술실 앞

다급하게 굴러가는 병원 침대. 트럭에 치여 혼수상태인 은민.

선율(20대 초반), 은민의 손을 잡고 뛰며 "엄마!"

수술실로 들어가는 은민, 문 닫히며 나뒹구는 닳아빠진 신발.

닫힌 문 앞에서 선율, 엄마의 신발을 움켜쥔 채 제발…!

2씬	(과거) D, 세현동 사고 현장

선율, 은민의 사고 현장에서 전단지[1] 나눠 주고. (cut)

백방으로 CCTV를 찾으러 다니고. (cut)

인근 세워진 차 블랙박스도 찾아다니며 보여 달라 애원하고. (cut)

---

[1] <목격자를 찾습니다. 2017년 10월 13일 오후 3시경 세현동 고개에서 시외버스 터미널 방면으로 향하던 차량과 보행자의 사고를 목격하신 분은 제보 부탁드립니다.>

3씬	(과거) D, 경찰서

선율, 조사받고 있는 가해자를 향해 덤벼들며.

선율	(울분에 찬) 너 이 새끼 운전 왜 그렇게 했어! 우리 엄마한테 왜 그랬어!!
가해자	갑자기 튀어나온 걸… 어쩌라고요.
선율	(흥분해서) 뭐 이 새끼야!

경찰들, 두 사람 황급히 떼어 내며 가해자 데리고 나가고.
붙잡으려는 선율, 거칠게 책상으로 밀쳐지는 그때,
성큼성큼 들어오는 구둣발. 김준이다.

선율	(김준을 보자 치밀어 오르며) 아저씨! 저 새끼가 울 엄마를요!
서장	(헐레벌떡 뛰어나와) 아이고, 의원님, 어쩐 일로.
김준	(무섭게 호통 치며) 이 아이 내 아들 같은 놈입니다!
	이거 제대로 수사하십시오, 내 끝까지 지켜볼 깁니다?!
선율	(입술 꽉…)

4씬	(과거) D, 병실

아직 얼굴에 사고 상처가 남아 있는 식물인간이 된 은민 옆에… 앉는 선율.
김준, 들어와 선율 옆에 서면.

선율	(어금니 꽉…) 그놈, 꼭 제대로 처벌 받게 해 주세요.
김준	(강한 의지로) 오냐, 이 아저씨가 네 엄마 앞에서 약속하꾸마.

선율… 엄마의 얼굴을 보는데… 그러다….

선율	엄마… 꼭 깨어나겠죠….
김준	(가슴 아프고…) 하모, 반드시 일어날 끼다! 엄마 병원비 같은 건 걱정 말고 이 아저씨가 끝까지 책임질게…!

선율을 안아 주는 김준.
그 품 안에서 북받치는 감정 꾹꾹 누르는 선율의 모습에서.

5씬   **(현재) D, 상주 대기실 (10화 66씬)**

(O.L) 슬픔 속… 상복을 입고 앉아 있는 선율의 모습으로.

선율, 은민의 휴대폰 갤러리를 보는…
생일 축하 받는 선율, 병실 침대에서 공부하는 환자복의 선율,
온통 선율, 선율, 선율의 사진들뿐.

선율	(먹먹한…) 엄마 사진은 하나도 없네.

그러다 마지막 사진을 보는데,
<한국 대학교 입학식> 플래카드 앞에서 선율과 은민이 함께 찍은 사진.
꽃다발을 든 선율 옆에서 누구보다 행복하게 웃고 있는 은민의 얼굴.
그제야….

이렇게라도 엄마 얼굴을 만져 보고 싶어서….
휴대폰 속 은민을 쓰다듬는 선율의 손등 위로 '툭, 투둑…' 떨어지는 눈물.

서서히 클로즈업되는 은민의 얼굴에서.

6씬	**D, 은민의 빈소 앞**

(O.L) 화면 속, 행복하게 웃고 있는 은민의 사진(5씬)으로.
그 아래, <상주 권선율>

블랙아웃.

타이틀 <원더풀 월드>

7씬	**D, 수현의 집 외경**

8씬	**D, 부부의 방**

화장대 앞에 앉은 수현, 생각에 잠긴 채 고뇌하는… 그 위로.

태호 e 선율이 엄마, 돌아가셨대요. (10화 67씬)

플래시백
식물인간으로 누워 있던 은민의 얼굴. (5화 66씬)

선율이 살리려고 미친 듯이 CPR 했던. (6화 4씬)

선율 사람 죽는 거… 보는 거 싫어요. (6화 5씬)

무거워지는 수현의 마음…
그러다, 고은이 걱정돼 전화 거는데, 받지 않는 고은.

순간, 수현의 가슴 철렁 내려앉고.

얼른 다시 걸려는 동시에 울리는 전화. 액정 '엄마'

수현	(황급히 받으며) 엄마!
고은 e	(밝은 목소리) 어~ 수현아~
수현	(고은의 목소리에 안도하며) 전화 안 받아서 놀랐잖아.

9씬　　D, 고은의 식당 / 수현의 집, 부부의 방 (교차 / 통화)

고은, 동네 사람들과 식당 쓸고 닦고, 오래된 음식들 버리고 정리하느라 분주한.

고은	식당을 너무 오래 비워서 지금 정리할 게 한두 가지가 아냐.
수현	(속상한) 퇴원한 지 얼마나 됐다고, 당분간은 좀 쉬라니까.
고은	괜찮아, 동네 사람들 와서 같이 도와주고 있어, (그러다 누군가에게) 그거 거기다 넣지 마. 수현아, 엄마 바쁘다.
수현	괜찮은 거지?
고은	그렇대도, 너나 밥 잘 먹고 힘내. 너 엄마밖에 없다며. 나도 우리 딸밖에 없어. 그러니까 서로 위해서라도 정신 바짝 차리고 살자?
수현	(조금은 마음이 놓이며…) 응….
고은	너도 별일 없지?
수현	(그 소리에 일부러 더 밝게) 그러엄. 난 다 괜찮아.
고은	그래, 그럼 됐다.

고은, 전화 끊는데, 그제야 밝았던 표정 먹먹해지며….

고은	지가 더 힘들면서….

수현도 수현대로 끊으며….

수현	(같은 마음으로) 엄만 맨날 괜찮대….

그러다… 나는 이렇게 엄마라도 있어서 견디는데…
문득 또 떠오르는….

간호사 e	어떤 남자분이 업고 뛰어왔어요. (10화 39씬)

10씬　　**플래시백> D, 응급실 (10화 47씬 상황)**
선율, 고은을 업고 땀 뻘뻘 흘리며 뛰어 들어오는.

cut to　현재
그 모습을 머릿속으로 그려 보던 수현, 도무지 안 되겠고.
결심이 선 듯, 붙박이장 열어 검은 정장을 꺼내 드는데.

11씬　　**N, 수현의 집, 현관**
정장 차림의 수현, 신발장에서 구두 꺼내 들다가 우산에 시선. (2화 67씬)

플래시백

선율	(우산 건네는) 건우가 보면 마음 아플 거 같아서.

그래… 나도 그 아이에게 우산 정도는 씌워 주자 싶은 마음으로… 그렇게.

12씬　　**N, 장례식장 복도**

수현, 복도를 따라 북적대는 특실, 조문객들로 가득 찬 빈소들을 지나쳐…
맨 구석, 은민의 빈소 앞에 멈추어 서고는 올려다보면.

은민의 사진 아래, <상주 권선율>

발길이 쉽게 떨어지지 않지만, 그렇게 들어서고.

13씬　　**N, 은민의 빈소**

썰렁한 가운데… 들어서는 수현의 모습에,
앉아 있던 수진, 놀라 일어나고. 용구도 흠칫.
용구, 얼른 상주 대기실로.
수진은 적개심으로 수현을 쏘아보고.

수현, 묵묵히 걸어와, 은민 앞에 헌화하고는 잠시 사진 속 은민을 보는데,
만감이 교차하고….

그러다 천천히 고개 숙이며 눈을 감는 수현.
그제야….

수현 e　　김은민 씨.
여기까지 오는 길이 쉽지만은 않았습니다.

나는, 아직도 우리 건우를 앗아간 당신 남편을 용서할 수가 없습니다.
내 새끼를 떠나보낸 그날부터 내 인생도 숨만 붙어 있을 뿐,
죽은 거나 다름없었습니다.

그러나, 당신에게 이 말은 꼭 하려고 왔습니다.
당신 아들은, 내가 돕겠습니다.
그것만큼은 내가 하겠습니다.
권지웅의 아내로서가 아니라, 선율이 엄마인 당신에게 약속합니다.
그러니… 이제 그만, 편히 쉬어요.

같은 엄마로서, 눈도 못 감았을 은민에게 마지막 말을 전하는 수현.
바닥으로 툭 떨어지는 눈물.

대기실 문을 박차고 나와선 선율, 그런 수현의 모습에 점점 동요되는 마음.
한쪽에서 증오심으로 쏘아보던 수진도, 어쩐지 그 모습에 흔들리고.

그렇게 묵념을 마친 수현, 고개 들어 눈물기 싹 지운 채로,
단단한 눈빛과 함께 선율을 바라보고.

선율   (흔들리면서도) … 당신이 여기 왜 왔어?

수현, 선율의 피폐해진 얼굴을 눌러보다가.

수현   지금은 다른 생각은 말고 어머니 잘 보내 드릴 생각만 해.

그렇게 돌아서는 수현을 향해.

선율	(요동치는) 나 이 꼴로 있는 거… 보려고 왔어?!

대답하지 않고 묵묵히 걸어가며 점점 더 멀어지는 수현의 뒷모습.
그 순간, 꾹꾹 참고 있던 선율, 갑자기 수현에게로 성큼성큼!

용구	(놀라 쫓으며) 선율아!
수진	(역시 놀라) 선율아!

미처 선율을 붙잡기도 전, 먼저 수현 앞을 확 가로막아 서는 선율.
그렇게 서로를 쳐다보는 두 사람….

그 순간.

선율	(차오르는 눈물) 도와줘요.
수현	(!)

처음으로 '툭' 떨구는 눈물과 함께, 간절하게 바라보는 선율의 눈동자.
짧지만 진심인 그 말에 수현도 차오르는 눈물.

수현, 잠깐 동안 선율을 여러 감정으로 바라보다가….

수현	충분히 슬퍼하고 충분히 괴로워하고, 그런 다음 나한테 와.
	내가, 뭐든 도울게.

그렇게 은민의 죽음 앞에서…
처음으로 서로를 진심으로 바라보는 두 사람.

14씬	N, 장례식장 복도

늦은 시간, 빈소들, 하나둘씩 정리하는 분위기이고.

어떤 곳은 이미 정리가 끝났는지 벌써 불이 꺼져 있고.

조용하고 한산한 가운데, 은민의 빈소에서만 새어 나오는 어스름한 빛.

15씬	N, 은민의 빈소

고요한 어둠 속, 수진과 용구, 각자 떨어진 채 잠든 가운데.

선율, 기대앉아 영정 사진 속 은민을 바라보는… 위로.

플래시백 영정 사진 앞에서 한참 동안 무언의 메시지 전하던 수현의 모습.
(13씬)

수현 e	충분히 슬퍼하고 충분히 괴로워하고, 그런 다음 나한테 와.

내가 뭐든 도울게.

빈소 창가에 점점 더 짙어지는 어둠 속…

잠 못 이룬 채 앉아 있는 선율의 모습에서.

16씬	N, 수현의 집 앞

막 도착한 수현의 차.

차에서 내리는 수현, 올려다보는데, 불 켜진 거실.

수호가… 와 있구나….

17씬	N, 수현의 집, 수호의 서재

수호, 몇 가지 필요한 것들을 챙기는 중이고.
그러다 구석에 잘 넣어 둔 박스에 시선.
꺼내 들고 보는데 건우 자료라고 적혀 있는 서류(2화 27씬)가 보이는.
잠시 흔들리는 눈동자, 그 순간.

수현   여기서 뭐해.

수호, 황급히 도로 상자 닫고 넣는 걸, 수현이 봤고.

수호   어… 잠깐… 짐 좀 챙길 게 있어서.

그러고는 수현을 바라보는데…
수현, 서늘하게 그대로 지나쳐 다이닝 룸 쪽으로.
수호, 그런 수현을 복잡한 심정으로 바라보고.

18씬	N, 수현의 집, 다이닝 룸

물 한 잔 따르는 수현 뒤로 따라 들어오던 수호.

수호   근데 수현아.

수현의 검은 정장에 시선.

한상 e   권선율 엄마 돌아가셨대.

수호	(주저하면서도) 거기… 다녀온 거야?
수현	(대꾸 없고)
수호	(조심스럽지만 할 얘긴 해야 하는) 걔… 누구 아들인지 알잖아.
	의도적으로 접근해서 당신 괴롭힌 애야.
	걔가 원하는 대로 당신과 내가 끝났고….
수현	(물 마시며 듣기만…)
수호	(걱정하는…) 걔, 지금 김준 밑에서 일하고 있어. 위험한 애야. (동시에)

'탁!' 컵 소리 나게 내려놓는 수현.

수현	(단호) 내가 저 문을 어떤 마음으로 열고 들어왔을 거 같아?
수호	(…)
수현	이렇게 마주 서서 얘기하는 거, 힘들어. 당신은 당신 일을 해.
	난, 내 일을 할 테니까.

그렇게 단호하게 자리를 뜨며 나가는 수현…
남겨진 수호, 사라진 수현 쪽을 그저 먹먹하게 바라보는….
(F.O)

19씬   **(F,I) D, 청담 숍 건물 외경**

20씬   **D, 청담 숍 대표실**

유리, 쌓여 있는 결재 서류에 사인하며 어떻게든 일에 집중하려 하는데도,
자꾸만 그 위로 컷컷 되며 떠오르는.

수현	유리야… 나 다 알아. (9화 14씬) (cut)
	어떻게 나를 보며 웃고, 엄마한테 안기고, 그렇게 아무렇지도 않게!

고은	엄마라고 부르지도 마! (10화 44씬) (cut)

유리, 얼른 떨쳐 버리려 일어나 밖으로 나가려다가 휘청.
그제야 벽 짚고 그대로 스르륵 주저앉는…
두 손에 얼굴 묻는데 낮고 깊은 떨리는 숨소리.

그때, 매장 쪽에서 들리는 고함에 유리, 힘겹게 쳐다보는데.

cut to   동, 청담 숍
소파에 앉아 있는 손님(여자, 20대 초반) 앞에서 어쩔 줄 모르는 직원.

여자	야, 네 눈엔 이게 핑크로 보여?
유리	(나와서며 직원에게) 무슨 일이야.
직원	(울고 싶고) 아니 분명히 레드로 주문하셨는데,
여자	(새 가방 바닥에 내동댕이치며) 너 지금 내 잘못이라는 거야? 이게 어디서 사람한테 덤터기를 씌워?!
유리	(얼른) 죄송합니다. 확인해 보고 교환 도와드리겠습니다. (직원에게) 주문 내역 가져와.
직원	(덜덜 떨며) 확인시켜 드렸는데 레드로 되어 있어요.
여자	니들이 잘못 알아들었겠지. 이제 어쩔 거야? 나 오늘 모임에 들고 가야 되는데 멍청한 것들 땜에 다 망치게 생겼잖아!
유리	죄송합니다. 손님.
여자	됐고 당장 내 앞에 핑크로 가져와.

유리	(난감) 그게… 이 제품은 국내 재고가 없어서 일주일 정도 시간이….
여자	안 된다?
유리	(괴롭고) 대신, 환불 도와드리겠습니다.
여자	그럼 여태껏 버린 시간이랑 기분 잡친 건 뭘로 보상할 건데?
유리	네?
여자	꿇어.
유리	(!)
여자	나한테 피해 입혔으면 정식으로 사과해야 할 거 아냐.

유리, 당혹스럽고. 그러다 직원들 보는 앞에서 천천히 무릎 꿇는.

여자	사과는?
유리	죄송합니다.
여자	(유리의 이마 손가락으로 툭툭 밀며) 저기요, 표정은 하나도 안 죄송하세요~
유리	(…)
여자	똑바로 다시 말 못해?
유리	(힘들고…) 죄송합니다… 정말로 죄송합니다… 죄송합니다… (하다 보니 진심으로 이 말을 하고 싶은 누군가가 떠오르고) 정말… 죄송합니다….

그때.

e	일어나.

유리, 익숙한 목소리에 고개 번쩍 들고 보면 쇼핑백을 들고 서 있는, 수현이다.

유리	(심장이 철렁) 언…니?
수현	(유리를 일으켜 세우고)
여자	(하찮게 쏘아붙이며) 야 너 뭐야?

유리, 차오르는 눈물로 수현을 바라보는데….

수현	(그런 유리를 눌러보다가) 아무한테나 무릎 꿇지 마.
여자	(펄쩍 뛰며) 내가 지금 아무것도 아니라는 거야?!

수현, 차갑고 단호하게 여자 쪽 눌러보며.

수현	누더기 같은 자존감을 명품으로 치장한다고 당신 가치가 올라가진 않아.
여자	(씩씩대며) 허!

이미 돌아서는 수현의 뒷모습.
유리, 가슴이 무너지고. 그러다 황급히 수현을 쫓아 뛰쳐나가는데.

21씬　　**D, 청담 숍 앞**

유리, 흐느끼며 달려 나와 두리번대는데 저만치 멀어지는 수현의 뒷모습.
'이 죄를 어떻게 갚아야 하나….'

22씬　　**D, 고은의 식당**

고은, 장사 준비로 바쁜.
마침, 문 열리는 소리에 돌아보면, 서 있는 사람, 명희다.

어색하고 불편하게 목례하는 두 사람.

명희	안녕하셨어요. 사부인. 바쁘신데 갑자기 연락도 없이 죄송해요.
고은	앉으…세요. 뭐 마실 거라도.
명희	아니에요. 마셨어요. (앉고는 테이블에 선물 올려놓고) 쓰러지셨다는 얘기 듣고 병원에도 못 가 봐서 죄송해요.
고은	(…)
명희	애들… 생각해서라도 건강 잘 챙기셔야죠. 수현이 다시 강단에 서는 것도 보고 책 내는 것도 보고 그러시려면요.
고은	(…)
명희	(애써) 참, 다음… 달이 수현이 생일이더라고요. 건우 기일하고 겹치다 보니 챙겨 주지도 못해서 이번엔 제가 챙길까 하는데.
고은	(O.L) 사부인.
명희	네.
고은	애쓰지 마세요.
명희	(조금씩 굳어지고…)
고은	(명희가 왜 이러는지 알기에) 나는 우리 수현이가 하자는 대로 할 겁니다. 수현이 선택 따를 거예요.
명희	(조금씩 차가워지고) 그래도 집안 어른으로서 애들 갈라서는 건 막아야 하지 않겠습니까.
고은	수현이가 사부인 딸이어도 그렇게 말씀하시겠어요?

명희, 그런 강경한 고은의 태도에 더 할 말이 없고….

| 명희 | (하는 수 없어서) 그만 가 봐야겠네요. 몸조리 잘하세요. |

그렇게 나가려던 명희의 발걸음 순간 멈칫. 다시금 고은 쪽 돌아보는데.

명희   저도, 이혼하라고 할 겁니다. 수현이가 제 딸이면요.

고은   (본다…)

명희   (이건 진심이고) 솔직히 저, 수현이 좋아했어요. 내 며느리지만 멋있어서.
              근데… 저는 수호 엄마잖아요.

그렇게 나가는 명희의 뒷모습을 바라보는 고은.

23씬   **D, 고은의 식당 앞**

명희, 막 나와 서는데, 언제 왔는지 한쪽에서 듣고 서 있는 수현.

명희   (멈칫)

천천히 목례하는 수현을 복잡한 심정으로 잠시 보다가….

명희   그땐 우리 모두 다 아팠을 때잖니. 한 번만, 눈감아 다오.
              (미안하다 말은 차마 할 수 없어서) 어머니 잘 챙겨라.

수현, 그 말에… 진심으로 예의를 갖춰서….

수현   네… 근데요. 어머니.

명희, 가려다 멈칫.

수현	(진심으로…) 저희 엄마, 지금도 충분히 힘드십니다.
명희	(쳐다보고)
수현	저 하나 보고 버티시는데, 더는 아무 말씀 안 하셨으면 좋겠습니다. 마음 정리되는 대로 찾아뵐게요. 조심히 가세요.

명희, 차마… 복잡한 심경으로 더 뭐라 못하겠고 발길 돌리는…
그렇게 멀어지는 명희의 뒷모습을 보는 수현.

24씬　　　**D, 고은의 식당**

고은, 여전히 무거운 마음으로 앉아 있는 그때.

수현	(들어서며) 엄마.
고은	(얼른 표정 관리하며) 이 시간엔 어쩐 일이야.

수현, 아까 청담 숍 건물에서 산, 쇼핑백에 든 패딩 꺼내며.

수현	엄마 패딩 좀 샀어. 따뜻하게 입고 다녀요.
고은	걱정 좀 그만 하라니까. 봐. 엄마 멀쩡하지?
수현	(담담한 미소)
고은	가만있어 봐. 반찬 좀 챙겨 줄게. (주방 쪽으로)
수현	병원에 며칠 더 있자니까.
고은	(반찬 싸면서) 뭐 한다고 비싼 병원비 쓰고. (그러다 병원 얘기에 그제야 생각나서) 참, 나 병원 업고 간 총각한테 고마워서 어쩌냐.
수현	(묵묵히 듣다…) 엄마랑… 잘 알아…?
고은	(반찬 챙기면서) 어. 지 엄마 된장찌개 생각나면 오던 애야…

내 눈엔 배가 고픈 게 아니라 마음이 고파 보였어.
이상하게 마음이 쓰이대. 어린애가 인생이 고단하고 서러워 보이더라.

그 말을 듣는 수현…
그 위로 '툭, 툭' 흙 덮는 소리와 함께.

25씬　　**D, 은민의 묘소 앞**

은민의 안장식.
묵묵히 한 삽 한 삽 떠서 흙을 덮는 선율의 눈빛, 점점 눈물이 차오르고.
그 뒤로 울고 있는 수진과 용구.
그리고, 선율 옆을 지켜 주는 김준과 도열해 있는 김준의 사람들.

cut to　D, 묘원 앞
안장식을 마치고 내려온 선율, 김준을 향해.

선율	대선 준비로 바쁘실 텐데….
김준	인마, 지금 그게 중요하나! 내, 니 아부지라고 했나 안 했나!
선율	(울컥…)
김준	(안쓰럽고) 네 엄마, 잠깐 깨어났었다며. 그때 뭐 남긴 말 같은 건 없었나.
선율	(꾹꾹 슬픔 누르며) 가시는 길을 지키지 못했습니다.
김준	(짠해서…) 됐다 마, 이제 그만 다 훌훌 털고 니도 맘 편해져라. 내도 그럴란다. 그동안 아픈 엄마 돌보느라 고생 많았다.
선율	(고개 숙이고)

김준, 선율을 한 번 더 토닥이고는 차에 타려는데,

선율, 떠오르는 수현의 말….

수현 e   네 엄마, 사고 아니라 사건이잖아. (10화 28씬)

선율   아저씨.

김준   (돌아보면)

선율   저, 엄마 사고에 대해서 다시 알아봐야겠어요.

김준   (의아해서) 다 끝난 일을 뭐한다꼬?

선율   이상한 소릴 들어서요, (그러다 다잡고) 아닙니다. 바쁘신데 얼른 가십시오.

김준   (잠시 보다 어깨 잡아 주며) 그래, 니 맘에 걸리는 게 있음 당연히 알아봐야재. 내가 필요하면 언제든 연락하고.

선율   (감사함을 담아 목례하면)

끝까지 선율을 토닥여 주고는 차에 오르는 김준.

cut to   동, 김준의 세단
출발하는 김준의 차.
김준, 창밖을 걱정스레 바라보다가… 혼잣말처럼 비서관도 들리게….

김준   아이고, 다 끝난 걸 뭔 미련이 남아가, 지 엄마 죽고 마음이 안 편한갑다…?

26씬   **N, 선율의 동네 외경**
해가 지고 점점 어두워지는 골목.
선율의 차 들어오고.

27씬	N, 선율의 원룸 앞

차에서 내리는 선율과 수진, 용구.

선율	(진심으로) 고맙다. 수고 많았어.
수진	(혼자 보내기 그래서…) 같이 있어 줄까.
선율	아니야. 혼자 들어갈게.
용구	부르면 언제든지 뛰어올 테니까 연락해.

선율, 담담한 미소로 자신을 걱정하는 수진과 용구의 어깨 토닥이고.
그렇게 돌아서는 뒷모습을 바라보는 수진과 용구, 둘 다 마음이 안 좋고.

28씬	N, 선율의 집 계단 + 복도 + 현관문 앞

선율, 한 걸음 한 걸음 천천히 걸어 올라오는 발걸음.
겉으로는 이성의 끈을 붙잡고 담담하게 걷고 또 걷는데….

김준 e	다 끝난 일을 뭐한다꼬?

순간, 천천히 멈춰 서는 선율의 발… 그 위로.

29씬	(과거) N, 가해자의 집, 대문 앞

선율, 분노에 눈 벌게져서 살벌한 표정으로 문 쾅쾅 두드리는.

선율	나와! 나오라고!

그때 옆집 문 열리며 동네 아저씨 나오며.

옆집 남자   아, 시끄러! 그 집 이사 갔다고!

여자   (다른 집에서도 창문 열리며) 조용히 좀 해요!

선율   (더 미친 듯이 주먹질 해대며) 어떻게 죗값도 안 받고 풀려나! 어떻게!

순간, 선율의 어깨를 잡는 손. 선율, 돌아보는데.

김준   (억장이 무너지고) 니, 이럴라꼬 내한테 주소 달라켔나!

선율   (울컥) 아저씨, 이 새끼 처벌 안 받았대요!

김준   (속상하기는 마찬가지) 안다. 내도 지금 판결 나온 거 듣고 한바탕 뒤집어 놓고
오는 길이다.

선율   (폭발하며) 우리 엄마가 무단 횡단했다고 그 새낀 무죄래요!
엄만 지금 생사를 넘나들고 있는데 실수라고 끝나는 게 어딨어요!!

김준   (끌어안으며) 미안하다 선율아, 내 참말로 미안하다…! 어떻게든 처넣었어야
했는데 무슨 법이 이리 그지 같노!

미친 듯이 울부짖은 선율의 목소리 점점 잦아들며….

30씬   (현재) N, 선율의 원룸
불도 안 켠 어두운 방…
선율 들어와…. 조용히 자리에 앉는 그 위…
정적 속 낮고 긴 숨소리만…
얼마나 지났을까.
저만치 놓아둔 엄마의 휴대폰 바라보는데….

힘없이 손 뻗어 집어 드는 선율…
휴대폰 속 통화 목록 중 하나 재생시켜 보는데….

지웅 e	어, 여보.
은민 e	(다급) 선율 아빠 어디야?

그걸 듣는 지친 선율의 눈빛 위로 그날이 떠오르는… 오버랩 되며.

31씬   **(과거) N, 선율의 집, 거실**

선율, 저만치 주방에서 물 따르면서 은민이 통화하는 걸 바라보고.

은민	집행 유예로 나왔어? (선율과 눈빛 주고받고) 다행이다.
선율	(역시 아빠가 풀려났다는 말에 안도의 한숨)
은민	우리도 선율이 검사 끝내고 막 들어왔어. 다 괜찮대. (그러다 마냥 기뻐할 수 없고, 목소리 낮추고) 근데 저쪽 애 엄만 어떡해, 그 애 불쌍해서….

그러다… 은민, 수화기 너머에서 들리는 소리에 점점 굳어지며….

은민	여보세요? 당신 왜 그래? 여보?

현재   N, 선율의 원룸
엄마의 통화 녹음에 고스란히 녹음된 그날의 현장 목소리.

지웅 e	여긴 어떻게… 뭐, 용건이라도?
수현 e	사과해…!

선율	(흠칫) 은…수현?

플래시백 **사고 현장** (1화 46씬)

휴대폰 끊지 않은 채 들고 있는 지웅과 대치한 수현.

수현	정작 내 새끼한텐 제대로 된 사과 한마디도 안 했으니까.
지웅	아아~ 난 또 무슨 소린가 했네, 알았어, 알았어. 얼마를 원하는데?

INS *흔들리는 선율의 눈동자.*

수현	사과해, 내 새끼 인생을 송두리째 망쳤으면, 똑바로 사과하라고!
	사과해! (와 동시에)
지웅	(확 밀어 버리며) 에이 썅! 진짜!

수현, 넘어지며 '와장창!' 건우 영정 사진도 깨지고.

INS *그 소리에 선율도 소스라치며 놀라고!*

수현	아저씨, 아니 선생님… 제발 사과 해 주세요!
	내 아들은 죽었는데 아무 일도 없던 것처럼 그럼 안 되는 거잖아요!
	그럼…! 내 새끼가 너무 불쌍하잖아요오!
지웅	뒈져도 왜 하필 내 차에 뒈져 가지고!!

32씬	**(현재) N, 선율의 원룸**

선율, 그만 휴대폰 떨어뜨리고…
엄마의 죽음만으로도 버티기 힘든데…
떨리는 숨소리….

아빠가… 이렇게까지… 가혹했을 줄은…
그렇다고 원망이 없어진 건 아니지만 처음으로 수현의 피맺힌 절규가 가슴
을 옥죄고….

그냥 이대로 사라져 버렸으면…
예전 수현이 건우를 잃고 꺼져 가던 그것과 같은 고통으로….

천천히 모로 눕는 선율의 눈에… 또르륵… 눈물이 옆으로 새고…
파노라마처럼 빠르게 지나가는 선율의 인생.

cut to   N, 수술실
(O.L) 수술대 불 탁 켜지고. 산소호흡기 입에 문 선율, 스르륵 눈감으며.

선율 e   나도 평범하게 살고 싶었어….

cut to   병원에서 생일 축하 받는 선율. (8화 24씬)

cut to   아빠의 유골을 뿌리는 선율. (10화 18씬)

cut to   은민의 얼굴에 덮인 흰 천을 거두는 선율. (10화 64씬)

선율 e   좋은 아들이고 싶었고….

cut to 대학교 (추가 씬)

실습 의사 가운을 벗고 학생증을 올려놓고는 잠시 내려다보는 선율의 눈빛.
그렇게 의대를 뒤로한 채.

폐차를 해체하며 땀 흘리는 선율. (2화 56씬)

경호원들한테 무차별 폭행을 당하던 선율. (3화 20씬)

너덜너덜 찢겨진 옷을 입고 생수병으로 피 닦아 내던 선율. (3화 22씬)

선율 e 나한테 남은 건… 은수현 당신에 대한 복수심 뿐이었는데….

어지럽게 떠오르는.

수현 (약 봉투 주며) 아무리 안 아파도 그만 좀 다쳐. 널 좀 소중히 여겨.

(5화 41씬)

수현 툭하면 터지고 다치고 깨지고! 네 부모님 생각해서라도 더는 너 망가지는 꼴
못 봐. (6화 41씬)

수현 겨우 그 정도 마음으로 내가 너 보호자 하겠다고 했을까 봐.
난 계속 네 인생에 참견할 거고 너 똑바로 사는 거 봐야겠어.

(6화 58씬)

지대 높은 곳, 고통스러워하던 수현 위로 오버랩하며 들리는. (9화 16씬)

수현 e	내 아들은 죽었는데 아무 일도 없던 것처럼 그럼 안 되는 거잖아요!

선율 e	(고해성사하는 심정으로) 나 어떡해야 해….

그래서… 그랬기에… 그런 선율의 감정이기에…
'도와줘요….'

선율 위로, 해가 뜨고 해가 지고… 달이 뜨고 달이 지는 줄도 모른 채.
그 위로 여러 날의 수진과 용구의 목소리 뒤엉켜 들리고.

수진 e	선율아? 권선율? 일어났어?
용구 e	선율아, 너 밥은 먹었나?

점점 더 어둠 속, 깊은 동굴로 빠져들어 가는 선율….

33씬	**(다른 날) D, 백두대간 건물 앞**

수현, <백두대간, 강윤석 변호사 목요일 11시> 쪽지를 보다가
천천히 올려다보면, 법무법인 <백두대간> 간판이 보이고.

34씬	**D, 강윤석의 사무실**

책상에 놓인 명패 <변호사 강윤석> 앞으로,
수현, 사진을 판독 중인 강윤석을 지켜보는.

강윤석	(스키드 마크 끝점을 가리키며) 차가 멈추기까지 꽤 거리가 있는 걸 보니 상당히

과속인가 보네요. (갸웃) 아무리 그래도 이거보단 스키드 마크와 사고 지점이 더 가까워야 하는데.

수현   무슨 뜻인가요.

강윤석   이 운전자, 피해자를 쳤는데도 브레이크를 밟지 않았어요.

수현   혹시, 운전 미숙이거나 돌발 상황이라 대처가 늦었을 수도 있잖아요.

강윤석   (손사래 치며, 거들먹) 아휴~ 그럼 핸들을 틀었겠죠. 자, 보세요. 스키드 마크 각도가 오히려 피해자를 향해 직진했어요.

수현   (눈빛) 그럼, 이건 고의성이 있다는 거네요?

강윤석   그럼요! 고의로 낸 사고일 가능성이 90% 이상입니다. 무조건 이겨요.

수현   (잠시 서늘하게 눌러보다가…) 저, 부탁할 게 있습니다.

35씬   **N, 선율의 원룸**

선율, 여전히 꿈쩍도 하지 않은 채… 깊은 동굴에 갇혀 있는 위로…
저 멀리 아득하게 들리는 듯한… 그 위로 초인종 소리와 함께.

수진 e   선율아? 권선율?

수진이의 목소리 점점 수현의 목소리로 바뀌며 오버랩 되며.

수현 e   권선율. 선율아.

깊은 어둠 속, 한 줄기 빛처럼 들리는 수현의 목소리에…
처음으로 반응하는 선율의 눈꺼풀.
그제야… 선율을 가두고 있던 어둠, 조금씩 조금씩 걷히며….

36씬　　　　**N, 선율의 원룸 앞**

수현, 안에서 반응이 없자, 가져온 죽 쇼핑백을 걸어 놓고 돌아서는데,

천천히 열리는 문.

그 사이로… 조금씩 모습을 드러내는, 초췌한 선율의 얼굴.

그렇게 잠시 바라보는 두 사람….

cut to　선율의 원룸

수현이 사 온 죽을 앞에 두고 마주 앉은 선율.

수현, 선율의 몰골을 보는데 물 한 모금 먹지 않은 듯한….

수현	먹어. 도와달라며. 내 도움을 받으려면 이제는 정신 차려.
선율	(쳐다보면)
수현	(단호하게) 나도 너처럼 이래 봤어. 물 한 모금 넘기는 것도 힘들어 봤고, 죽은 것처럼 아무 의미 없이 살아도 봤어. 근데, 이러는 거 도움 안 돼.
선율	(견디기 힘들고…)
수현	너 할 일 있잖아.

선율, 조금씩 흔들리는 눈동자.

떨리는 손으로 천천히 숟가락 들다가 도로 탁 내려놓고는.

선율	당신, 뭘 알고 있는 건데.
수현	네가 먼저 추슬러야 내가 얘기할 수 있어.

그 말에… 선율, 잠시 수현을 바라보다가… 다시 숟가락 들고…

간신히… 삼키고… 또 삼키고…

그 모습을 담담하게 바라봐 주는 수현의 눈빛.

37씬	N, 수현의 집, 서재

수현, 편한 차림으로 갈아입고 들어와 책상에 앉는…
잠시 선율을 생각하는 위로 문자 수신음.

강윤석 e	오늘 상담했던 백두대간 강윤석 변호사입니다.
	부탁하셨던 자문에 대한 회신입니다.

메일 제목 <백두대간 강윤석 - 자문에 대한 회신> 클릭하면.

(첨부파일) *자문에 대한 회신.

파일 클릭하면 나오는 사진 두 장.
직선으로 뻗은 스키드 마크, 곡선으로 휘어진 스키드 마크.
그 밑으로 설명2.

그걸 보면서도 수현의 머릿속에는 아까 백두대간에서 본 것들로 꽉 찬.

플래시백   N, 백두대간 복도
천천히 복도를 걸어 나오는 수현의 옆으로,
한쪽에서 담소 나누는 건우 사건 때 판사, 검사의 모습.

---

2   1. 시속 115km로 달리는 차가 급브레이크를 밟았을 때 제동까지 6~7초. 사고 지점에서 스키드 마크까지 거리는 70~80m가 평균적. 의뢰인이 준 현장 사진에서는 거리가 100m 이상이었던 걸로 보아 피해자를 보고도 브레이크를 밟지 않은 것으로 확인된다.

2. 주행 중 장애물을 보면 운전자가 본능적으로 핸들을 틀게 되어 있지만 의뢰인이 준 현장 사진 속 스키드 마크는 피해자가 서 있던 지점에서 곧게 뻗어 있다. 운전자가 피해자를 향해 직진했을 가능성이 높다.

그렇게 스쳐 걸어가던 수현의 발걸음, 순간 멈추고 바라보는 곳.

<법무법인 백두대간과 준성 재단의 업무협약(MOU) 체결식> 사진.
'생명 사랑 문화 조성 및 협력을 위한 업무협약' '준성 재단 – 법무법인 백두
대간'

백두대간 대표(황지석, 건우 사건 변호사)와 협약서 든 김준의 얼굴.

수현　　김준…?

현재
내 아들 사건과 관련된 백두대간에서 김준의 흔적을 본 지금,
수현, 뭔가 번쩍이는 눈빛으로 수호의 서재 쪽 바라보고.

38씬　　N, 수현의 집, 수호의 서재
수현, 여기저기 뒤지며 찾는 손.
수호는 오래전부터 김준을 파 왔으니 뭔가가 있을 것이라는 믿음으로.
순간, 발견하는 박스.

INS >　　엊그제 수호가 황급히 뚜껑을 닫으며 치웠던 바로 그 박스. (17씬)

천천히 열어 보는데… 그 안에 들어 있는 것들…
수호가 모아 두었던 건우 판결문과 자료들. (2화 27씬)

수현　　(?)

하나씩 차분히 넘겨보며 살펴보는 수현.

그 사이에 껴 있는 종이 한 장 스르륵 빼서 보는… 그 순간.

수현   (놀란 채) 허!

그 위로.

e   (문 두드리는) 쾅쾅쾅!

39씬   N, 수호의 레지던스 현관 앞

수호, 문 여는데 뜻밖에 그 앞에 서 있는 사람. 수현이고.

수호   (생각지도 못했던 터라 놀라서) 수현아?

수현, 그대로 서늘하게 들어서는 모습에 수호도 얼른 따라 들어오고.

cut to   레지던스

테이블에는 먹다 만 컵라면.

수호, 황급히 정리하고 치우면서.

수호   (머뭇) 잠깐 있어. 차 한 잔 가져다 (채 말 끝나기도 전에)
수현   당신 이거 뭐야.

수호, 뭔가 싶어 수현이 내민 것 받아 들고 보는데,

건우 사건과 연관된 사람들 중심에 김준이 있던 관계도. (2화 27씬)

수호	(허!)
수현	(차갑게) 권지웅 빼내려고 모두 다 한통속이었어.
	그 중심엔, 김준이 있었고.
수호	(흔들리는 눈동자)
수현	당신 왜 멈췄어?
수호	(입 꾹…)
수현	이걸 다 알았는데도 왜 끝까지 안 갔어?
	당신 절대로 포기할 사람이 아니잖아.
수호	(말 못 하고…)
수현	(쏘아보며) 김준한테 뭐 약점 잡혔어?

그만 수호, 여태껏 꾹꾹 참았던 무언가 터뜨리며.

수호	그럼 내가 더 이상 어떻게 해!
수현	(놀라고…)
수호	나도 할 만큼 다 했어. 최선을 다했다고! 힘이 없는데 뭘 더 어쩌라고!
수현	힘이… 없어서 못했다…?
수호	(어금니 꽉) 그래! 그래서 이제라도 권력 가져 보려고, 그러니까, 이제 제발 그
	날에서 좀 벗어나. 이런다고 우리 건우, 살아 돌아오지 않아.

수현, 그 말이 참… 아프고….

수현	(단호) 아니. 그래도 당신은 끝까지 갔어야 했어.
	우리 아들! 건우 일이니까.

수호	(차마…)

수현, 수호 손에 들린 관계도 도로 뺏어 들고 복잡한 심정으로 나가면….

cut to 창가
저 아래 걸어가는 수현의 뒷모습.
수호, 가슴이 아프지만 단단한 눈빛으로 전화 걸고.

40씬   **N, 대학가 거리**

'살 만한 세상 기호 1번 김준!' 피켓을 든 봉사자들 사이에
김준, 손바닥 장갑에 기호 1번 흔들며 함께 사진 찍고.
시민들, 소리 질러 주고 '화이팅!' 응원해 주고.
"후보님 같이 셀카 한 장만 부탁드려요!"
그러자고 같이 찍어 주는 김준. 손 흔들어 주고.
그때, 비서관, 김준 귀에 속삭이는.

김준	누구라꼬.

한쪽으로 잠깐 나와 김준, 전화 받고.

김준	아이고~ 강 국장이 무슨 일입니까.

41씬   **N, 레지던스 / 거리 (교차 / 통화)**

수호	(눈빛) 시간 좀 내주십시오.
김준	하모요. 누구 부탁인데요! 좋십니다!

끊자마자, 다시금 시민들과 봉사자들을 향해.

김준	(크게 외치며) 살 만한 세상 누가 만듭니까!!
일제히	김준! 김준!

그런 김준의 눈빛에서. (F.O)

42씬   **(F.I) D 폐차장 외경**

cut to   동, 일각

선율, 엄마의 오래된 옷가지들과… 물건들…

엄마 주려고 산 구두 모두 다 담고…

가슴에 흐르는 눈물…

다 보내주려고 태우려는 순간.

플래시백

선율	저, 엄마 사고에 대해서 다시 알아봐야겠어요.
	(25씬)

선율, 태우려던 손 멈추고. '그래. 이대로 엄마 못 보내겠어.'

43씬   D, 선율의 원룸

선율, 엄마의 유품들 들고 다시 들어오는… 그 순간,
선율의 눈빛 예리해지며.

저만치 선율의 눈에 들어오는… 수현의 책 '시절 인연'
(다른 책들 위에 놓여 있는)

INS   *틀림없이 똑바로 꽂혀 있던 책.*

책꽂이 앞에 다가와 서는 선율.
책을 똑바로 꽂아 놓고는, 예리한 눈빛으로 내부를 둘러보는데,
그제야 아주 미묘하게 달라져 있는 선율의 공간.

선율, 0.2cm 정도 닫히지 않은 책상 서랍을 닫으며,
아주 미세하게 삐뚤어져 있는 소파 쿠션을 바로 놓으며,
미세하게 삐뚤어져 있는 그림 액자 바로 잡으며,
약간 흐트러진 LP판들 바로 꽂으며….

차분히 자신의 공간을 돌아다니면서,
원위치에서 아주 티 안 나게 살짝살짝 빗겨 있는 물건들을 제자리로 놓는 선
율. 그제야, 서늘해지는 눈빛.

컷 튀면.

용구, 보안용 탐지기로 집 구석구석 훑고 있는.
1층, 2층, 화장실, 창고, 주방 샅샅이…

그 모습을 한쪽에서 선율이 지켜보고.

그 옆에서 수진이 초조하게 선율을 올려다보는데.

용구	(다 끝내고) 없어.

서늘해지는 선율의 눈빛 위로.

수진	(걱정되는) 대체 무슨 일이야?
용구	그래, 뭐 때문에 이러는데?
선율	(서늘) 엄마 유품 태우려고 잠깐 집 비운 사이에 누가 왔다 간 거 같아.
수진	누가 그런 짓을! 왜?!
선율	(곰곰 생각하며) 글쎄, 뭔가 내 집에서 찾고 싶은 게 있다는 건데.

수진과 용구도 뭘까 싶은 그 순간, 수진, 생각난 듯.

수진	맞다. 그동안 경황도 없고 그게 뭔지 몰라서 말 못 했는데…
	아줌마… 돌아가시기 직전에 이상한 말씀을 하셨어.

선율, 그 소리에 수진을 쳐다보고.

선율	(흠칫) 뭐라고 하셨는데?

44씬   **N, 홍어집**

김준, 비서관이 열어 주는 문 안으로 들어서며.

김준	아지매~

'어서 와요~'라며 반기는 주인, 테이블에 홍어 접시 내려놓고 비키면,

거기 앉아 있는 사람, 수호다.

김준, 비서관에게 나가라고 눈짓하고는, 수호 앞에 독대하고.

막걸리를 잔에 따르더니 시원하게 한잔 들이키고는.

김준	아이고, 저번엔 홍어 안 좋아한다 카더니.
수호	그러게요. 냄새도 역겨웠는데. (김준 눌러보며) 사람들이 다 좋다고 하는 덴 이유가 있더라고요.
김준	(서늘한 미소) 방송 나가고 내보다 강 국장이 더 난리라 카대? 다른 캠프에서도 강 국장 영입할라꼬 눈이 벌게 있다 카고. 맞나?
수호	의원님 생각은 어떠십니까.
김준	내사, 당연히 강수호랑 같은 색깔 옷 입고 싶지요.
수호	제가 의원님 어떻게 생각하는지 다 알면서도요?
김준	(피식) 그게 뭣이 중요합니까. 정치가 친목질도 아이고.
	내는, 적이라도 필요하면 곁에 두고 친구라도 쓸모없어지면 내다 버립니다.
	절대 내 편이 아닌 사람이라도 필요하면 내 편으로 만드는 거, 그게 정치재.

수호, 흔들리는 눈빛. 드디어 결심했고.

수호	그럼 저도, 의원님 편, 돼 보겠습니다.
김준	(의중을 파악하려는 눈빛으로) 우짠 일이고? 내 쪽은 쳐다도 안 볼 것처럼 굴더이.
수호	방금 그러지 않으셨습니까. 적이라도 필요하면 곁에 둔다고.
	이제 더 이상 잃을 것도 없는 마당에 제가 붙잡을 게 권력 말고 뭐가 있겠습니까. 저도 올라갈 수 있는 한 가장 높은 곳에 앉혀 주십시오. 의원님, 제가

반드시 군주로 만들어 드리겠습니다.

김준, 그런 수호의 패기에 호탕하게 한번 웃고는.

김준   (잔 들고) 아이고! 내한테 온 거 후회하지 않을 깁니다!

수호, 같이 잔 부딪치고. 마시며 서로를 바라보는 눈빛.

45씬   **N, 선율의 원룸**
선율, 창밖을 바라보며 한참 동안 서 있는.
아까 수진이 던지고 간 말을 떠올리는 눈빛… 그 위로.

46씬   **INS D, 은민의 병실**
은민, 마지막 숨, '컥! 컥!' 넘어가면서도 애타게 수진을 보며 뭔가 말하려.

수진   (은민을 움켜쥐며 울먹) 아줌마, 제발! 지금 선율이 오고 있어!

은민, 입 모양만 뭐라 뭐라 움직이고.

수진   뭐라고, 아줌마?! (황급히 귀를 갖다 대는데)

현재

수진 e   근데 선율아. 아줌만 왜 마지막 순간에 그런 말을 하셨을까.

선율의 눈빛 점점 서늘해지고…

저만치 휴대폰 바라보는데.

47씬   **N, 수현의 집, 서재**

인부들, 가구 옮기고.

새롭게 세팅한 공간 벽면에 붙이는 아크릴판.

한쪽에는 수호의 상자.

'강수호 당신이 멈췄다면 나라도 내 아들 사고를 다시 들여다보는 수밖에.'

그렇게 뭔가를 준비하며 바라보는 수현의 눈빛.

그때 울리는 전화. 액정 '선율'

수현, 순간 흔들리는 눈빛. 이내 곧 받으며.

수현   여보세요.

48씬   **N, 선율의 원룸 / 수현의 집, 서재 (교차 / 통화)**

선율, 수현의 목소리를 들으니… 말하는 게 쉽진 않지만….

선율   생각이 정리되면 연락하라고 했었죠.

수현   그래.

선율   (결심이 섰고) … 만나요.

수현, 끊고는,

저만치 책상 위 서류 봉투를 바라보는 수현의 눈빛.

49씬	(다음 날) D, 은민의 사고 현장 (편의점 앞)

기다리고 있는 선율 앞으로 걸어오는 수현.
잠시 서로를 바라보는 두 사람.
수현, 먼저 입을 떼는.

수현	사실, 나도 이 얘길 너한테 하는 게 맞나 고민이 많았어. 그렇지만, 네 엄마 일이니까.
선율	(눈빛) 왜 그랬어요. 우리 엄마, 사고 아니고, 사건이라고 말한 이유.

수현, 그런 선율을 바라보다가.

수현	나도 처음엔 사고라고 생각했어.
	근데, 처벌 받지 않은 채로 덮어 버리는 게, 얼마나 억울한지 나는 알아.
	(단호한 눈빛) 잘못한 사람들은 따로 있는데.
선율	(흔들리는 눈빛)
수현	그때는 말 못 했던 사람들이 시간이 한참 지난 이제야 말하더라.

수현, 천천히 건너편을 바라보는 눈빛 위로.

수현	그날, 그 차는 속도를 줄이지 못해서 사고를 낸 게 아니야.
선율	(흠칫)

수현의 시뮬레이션
저만치 달려오는 가해자의 차. 건너편에 정차하고.

수현 e	한동안 저기 서서 기다렸대. 네 엄마가 나타날 때까지.

커브길 저 아래, 은민이 나타나자, 그제야 시동을 걸고.
수현이 지켜보는 가운데, 갑자기 전속력으로 출발하는 가해자의 차.
저 아래, 도로를 건너던 은민에게로 그대로 돌진하며 '쿵!'

사라지는 광경과 함께 수현, 요동치는 선율의 눈동자를 바라보고.

수현	(서류 내밀며) 그동안 다니면서 모은 자료들이야.
	검증도 끝냈고 자문도 다 구했어. 덮을지 끝까지 갈지는 네가 선택해.

선율, 수현이 내민 서류를 간신히 떨리는 손으로 받아 들다가.

선율	(점점 핏발서는 눈동자로) 왜 그랬대요.
수현	네 엄마를, 죽여 달라는 부탁을 받았으니까.
선율	(O.L) 그 사람이 누군데?!

수현, 그런 선율을 똑바로 쳐다보면서.

수현	네가 그토록 믿고 따르던.
선율	(요동치는…)
수현	김준.
선율	(심장이 쿵…!)

블랙아웃.

건우 e	엄마 이거 찰칵 해 줘. (1화 17씬 목소리와 함께)

화면 점점 환해지며….

50씬　　　　**(건우 사고 날) D, 수현의 집, 정원 (1화 17씬)**

건우　　　건우가 엄마 선물로 노래 불러 줄 고야.

수현　　　(웃으며, 동영상 버튼 눌러 주며 건네고) 자.

건우　　　(아이패드 뒤로 숨기면)

수현　　　왜?

건우　　　지금 보면 안 돼~

수현　　　(눈 가리는 시늉) 이러고 있어도?

건우　　　그것도 안 돼~ 엄마 먼지 들어가.

e　　　　　'부우웅' 차 소리.

51씬　　　　**D, 수현의 동네**

속도를 내며 달려오는 검은 세단. 얼핏 보이는 운전자의 뒤통수.

순간 '쿵!' 끼익 멈춰 서고.

황급히 차에서 내리는 운전자의 발.

저 앞에 쓰러져 있는 건우의 발.

주춤주춤, 당황하는 운전자의 발.

그러다 재빨리 뒷좌석 문 열어 건우를 싣는… 위로.

수진 e　　아줌마, 돌아가시기 직전에 이상한 말씀을 하셨어.

떨어져 있는 건우의 태블릿도 집어 드는 운전자의 손.
순간, 화면 가득, 들어오는 얼굴, 김준!

수진 e　　　(자기도 명확하진 않는다는 톤으로) 태…블릿…?

급출발하는 세단.
그 바람에 보조석 아래쪽 깊숙이 툭 떨어지는… 태블릿. (c.u)

11화 엔딩

WONDERFUL WORLD

원더풀 월드

- 12화 -

이 모드 게
한 사람으로
통해 있어

1씬	**프롤로그 (과거) N, 가해자의 집, 대문 앞 (11화 29씬)**
	선율, 분노에 눈 벌게져서 살벌한 표정으로 문 쾅쾅 두드리는.

선율	나와! 나오라고!

그때 옆집 문 열리며 동네 아저씨 나오며.

옆집 남자	아, 시끄러! 그 집 이사 갔다고!
여자 1	(다른 집에서도 창문 열리며) 조용히 좀 해요!
선율	어떻게 죗값도 안 받고 풀려나! 어떻게!

cut to 가해자의 집, 안방

e	'쿵쿵쿵!' 밖에서 들리는 선율의 소리를 들으며 앉아 있는 가해자. 계속 소주를 들이키는데 이미 빈 소주 두세 병 뒹굴고. 한쪽에는 이사 가려 싸 놓은 짐 가방도 보이는 가운데.

아내	(밖에 선율을 의식하며 두렵고) 여보, 어떡해.
가해자	(그냥 없는 척 하자 싶어서) 쉿, 조용히 해.
아내	(떨리는) 정말 의원님, 우리 희선이 수술시켜 주는 거 맞지?
가해자	(본인도 마음 괴롭고) 약속 지키실 거야.

그러면서 천천히 쳐다보는 곳, 구석에 누워 있는 아픈 아이.
역시나 그 아이를 쳐다보는 두려운 아내의 눈빛에서.

2씬	(현재) D, 육교
	(O.L) 눈빛이 텅 빈… 늙어 버린 아내의 눈빛으로.

쭈그리고 앉아 어디선가 뜯어 온 듯한 산나물, 호박 몇 개, 고구마를 팔고 있
는…
삶의 의지 따위 없는… 그 아내 얼굴 위로 드리워지는 그림자.
누군가 그 앞에 서고.

아내	(아무런 생기도 없이) 뭐 드릴까.

천천히 그 앞에 눈을 맞추고 앉는 사람. 수현이고.

수현	(잠시 바라보다가) 김은민 씨 사고 운전자, 아내 분 맞죠?

그 소리에 텅 빈 아내의 눈동자, 처음으로 반응하며 흔들리고.

수현	당신 남편, 고의로 사고 낸 거 알아요.
아내	(요동치고)

수현	왜 그랬어요?

아내, 그제야 떨리는 손으로 거칠게 챙겨 들고 자리 뜨려는데.

수현	(단호) 김은민 씬 아직도 병원에 있어요.
아내	(O.L) 제발 좀 그만! 이제 와 뭐 어쩌라고!

동시에 와르르 쏟아지는 감자, 호박들.

아내	(절규하듯) 준성 재단에서 내 새끼 수술시켜 준대 놓고! 수술도 못 받고 죽었어! 내 남편도 괴로워 죽었다고!

순간, 수현의 귀에 꽂히는 말.

수현	준성 재단?
아내	(흠칫)
수현	(서늘해지며) 수술시켜 준다고 한 사람, 김준인가요.

말문 막히는 아내의 낯빛을 보며 더욱 서늘해지는 수현의 눈빛.

블랙아웃.

타이틀 〈원더풀 월드〉

e   질주하는 오토바이 굉음.

3씬   **D, 도심**

선율의 오토바이, 굉음을 내며 복잡한 도심을 가로질러,

터널 안으로 빨려 들어가는.

cut to   긴 터널 안

혼란과 혼돈의 카오스 속, 질주하는 선율 위로.

플래시백   (11화 51씬)

수현   네 엄마를 죽여 달라는 부탁을 받았으니까.

선율   (O.L) 그 사람이 누군데?!

고통스러운 선율의 눈빛과,

그 위로 휙휙 스쳐 가는 어지러운 터널 불빛 엉키며.

수현 e   김준.

그동안 보여 줬던 김준의 모습들 빠르게 컷컷되며.

지웅의 영정 사진 앞에 서서 깊은 슬픔에 차오르던 김준. (cut) /

김준   이제 이 아저씨가 네 아버지 노릇 해 주꾸마. (7화 37씬) (cut) /

이 아이, 내 아들 같은 놈입니다. (11화 3씬) (cut) /

선율　그놈, 꼭 제대로 처벌 받게 해 주세요.

김준　이 아저씨가 네 엄마 앞에서 약속 하꾸마. (cut) /

김준　반드시 일어날끼다! 엄마 병원비 같은 건 걱정말고 이 아저씨가 끝까지 책임
질게…! (11화 4씬) (cut)

폭발하는 감정으로 터널을 빠져나가는 선율에게로 쏟아지는 빛.

4씬　　　　**D, 대교 위**

시뻘건 태양 아래 쫙 펼쳐진 대교를 질주하는 선율.
온몸이 타들어 가는 듯한 고통으로….

하늘 아래, 끝도 없는 대교를 그렇게 미친 듯이 달리는 오토바이.

5씬　　　　**D, 인천 바닷가**

오토바이 세워져 있고.

저만치 파도에 발 닿을 만큼 당장이라도 바다로 뛰어 들어갈 것처럼 비척대
며 걸어가는 선율.
바닥에는 수현이 준 엄마의 살해 증거들 나뒹굴고.
자문서 속, '백두대간'도 보이는… 그 위로.

플래시백 크롬썬 (10화 24씬)
열어 주는 문 안으로 들어서는 김준. 그리고 선율.
뭔가 은밀한 대화 나누던 사람들, 서둘러 일어서서 허리 숙여 인사.

김준   인사해라. 니 아버지 일 봐줬던 분들이다. 여기 있는 사람들, 전부 내 사람들
         이다.

현재
백두대간, 김준 사람들, 그리고 가해자를 변호한 새끼까지 다 한통속.
더욱 덜덜 떨리는 선율의 양 주먹.
분노, 허망, 절망, 슬픔이 섞인 채 선율의 울음 섞인 절규가….

6씬   D, 아동복지센터
         김준, 편한 차림으로 아이들과 함께 놀아 주는.
         술래잡기도 하고 축구도 하고.
         햄버거, 피자 먹는 아이들 입에 묻은 거 닦아 주고.
         아이들 보며 함박웃음 짓는,
         대선 행보를 이어 가는 김준의 모습을 쉴 새 없이 촬영하는 기자들.

7씬   D, 김준의 차 안
         김준, 막 차에 올라타고.
         손 흔드는 아이들을 향해 끝까지 계속 창밖으로 손 흔드는 김준.
         창문 서서히 올라가며 완전히 닫히자.

김준	(표정 확 굳어지며) 줘 봐.
비서관	(태블릿 대령하며) 여기.

김준, 넘기며 보면서.

김준	선율이 집에서 뭐 좀 찾았나.
비서관	(조아리며) 아무것도 없었습니다.

무심히 넘겨보는 김준의 시선을 따라 보면.

태블릿 화면   (11화 51씬)
수현과 선율, 은민 사고 현장에 서 있는. (cut)
수현, 선율에게 서류 봉투 건네는. (cut)

김준	지 엄마 사고 알아본다 카더이 은수현하고 붙어 있네?
	(비웃듯) 우짤라고 이러노, 진실을 알면 둘 다 감당 못할 긴데.

태블릿 속, 수현과 선율의 얼굴. (c.u)

8씬   **D, 고은의 식당 앞**

수현의 차, 막 들어와 멈추어 서고.
수현, 차에서 내려 저기 엄마의 식당을 보는데…
오늘은… 엄마하고… 다… 얘기하고 싶은….

그 마음으로 식당을 향해 걸어오는데…

저만치 식당 안, 우두커니 넋 놓고 쓸쓸히 앉아 있는 고은의 모습⋯
수현, 그 모습을 보고 있자니⋯.

플래시백 버스 정류장 (4화 31씬)
(O.L) 벤치에 멍하니 앉아 있던 엄마의 모습.

고은	누구 짓이야. 감히⋯! 내 딸을 건드려? 내가 어떻게든 찾아내서 가만 안 둘 거야. 너한테 건우 전부였듯이, 엄마도 너 위해서라면 못할 게 없어⋯!

현재
수현, 울컥하는 마음 애써 다잡고는 전화 거는데.

고은e	(받으며) 어, 수현아.
수현	(아무렇지 않은 척) 어, 엄마. 뭐해?
고은e	(수현이 지켜보는 줄도 모른 채) 뭐 하긴. 일하지.
수현	나랑 바람 쐬러 가자.
고은e	아휴, 엄마 바빠.
수현	(눈빛은 아프지만⋯ 말투는 아무렇지 않게) 그냥 하루 가게 문 닫으면 되지. 나와요. 나 식당 앞이야.

그렇게⋯ 먹먹한 마음 숨긴 채⋯.

9씬	D, 가로수길 (몽타주)

사람들 많은 가운데⋯
수현과 고은도 단둘이 데이트도 하고. 구경도 하고.

수현, 엄마 손 꼭 잡은 채 모처럼 웃고… 고은도 웃고…
그러다 꼭 잡은 고은의 늙은 손이 수현의 눈에 들어오고…
나 키우느라… 애쓴 고맙고 늙은 손…
수현, 자꾸 올라오는 감정, 엄마한테 걸릴까 봐 애써 시선 돌리는데….

저만치 보이는 네일아트 숍.

수현	(보면서) 엄마, 우리도 저거 해 볼까?
고은	(손사래) 아이고, 됐어.

컷 튀면.

10씬　　**D, 네일아트 숍**

그렇게 나란히 앉은 수현과 고은.

고은	(쑥스럽고) 아휴… 엄마 손 못 생겨서 창피하다.
수현	뭐가. 이 손으로 내가 컸는데. (꼭 잡아 주며) 엄마 손이 세상에서 제일 예뻐.
고은	(어쩐지 먹먹해지고…)
수현	(얼른) 엄마, 여기서 제일 하고 싶은 걸로 골라 봐.

부끄러워하면서도 진열된 매니큐어들 신기한지 둘러보는 고은을…
수현, 잠시 애틋하게 바라보는….

11씬　　**N, 하남 돼지집 외경**

12씬	**N, 하남 돼지집**

수현과 고은, 모처럼 외식하는 가운데, 직원, 고기 구워 주고.

(고은의 손톱은 새끼손가락만 발라진 정도)

고은	(송구스럽고) 아휴… 구워 주니까 편하긴 하네.
수현	엄마, 또 안 쓰러지려면 많이 먹어. (얼른 명이나물에 싸서 주며) 자.
고은	(수현이 해 주는 대로 받아먹으며) 이렇게 먹으니까 더 맛있다.

(그러다 사레들려서 콜록콜록)

수현	(이때는 그저 단순 사레려니… 별생각 없이 물 건네며) 또또, 엄마 천천히 좀 먹으라니까.
고은	(웃으며) 맛있어서.
수현	(미소… 직원에게) 저희 포장도 좀 해 주세요.

고은의 접시에 챙겨 주는 수현. 그런 수현을 또 챙겨 주는 고은.

13씬	**N, 청담 숍 대표실**

유리, 불도 안 켠 어둠 속에서 우두커니…
직원들, 조심스레 들어와.

직원	대표님…?
유리	(그제야 정신 차리고) 어.
직원	퇴근… 안 하세요?
유리	(애써 미소로) 난 뭣 좀 할 게 있어. 먼저들 가.

직원들 인사하고 가면… 유리 다시 멍해지는데… 그 위로.

플래시백

수현   아무한테나 무릎 꿇지 마. (11화 20씬)

그랬던 수현의 모습에서 오버랩 되며….

14씬   (과거) D, 치킨집 (구도로 통닭 PPL)
수현, 학생들과 둘러앉아 시끌벅적.

학생 1   교수님 방송 나오신 거 진짜 멋있었어요!
학생 2   어제 서점 갔는데 교수님 책 반응 장난 아니던데요?
학생들   교수님 존경합니다!
수현   (웃으며) 맛있는 거 사 주니까 칭찬이 막 들어온다?
학생 3   (손 번쩍 들고) 저 이 타이밍에 질문 있습니다! 어떻게 하면 교수님처럼 멋지게
         살 수 있습니까!
학생들   오~
수현   (미소로 잠시 생각하다가…) 음… 내가 나로 존재하는 거.
         그러기 위해선 누구보다 나를 믿어 주는 거.
         그래야 내 자존감을 지킬 수 있고, 가장 힘들 때 다시 일어설 수 있어.
         (장난 섞인) 야, 우리가 빽이 없지 자존감이 없냐.
학생들   (한바탕 웃고)

         그때.

유리   (치킨 내려놓으며, 알바복 입고) 맛있는 치킨 왔습니다~

수현	(얼른 학생들에게) 다들 인사해. 내 동생이야.

학생들 그 말에 놀라 '어? 안녕하세요!' 하고 앞다투어 인사하는.
유리도 엉겁결에 인사하고.

학생1	와 이거 구운 통닭이네요? (맛보고) 완전 겉바속촉!
학생2	치즈도 끝내준다!

시끄럽게 떠들며 맛있게 먹는 학생들 속에서,
수현, 유리의 손을 꼭 잡아 주고.
유리, 그런 수현이 든든하고 자랑스러운.

현재
수현이 잡아 주던… 텅 빈 손을 내려다보는 유리…
어둠 속에서… 그렇게 혼자 쓸쓸히….

15씬	**N, 방송국 회의실**

수호, 뉴스룸 팀원들과 회의 중인.

팀원1	**동 아파트 건설 현장 사고 관련해서 중대재해처벌법 전문가 인터뷰 따냈습니다. 최근 대선을 제외한 가장 큰 이슈라 기획 기사로 다뤄 볼 만한 것 같습니다.
피디	그럼 그걸로 픽스하고.
수호	(말 끊고) 오늘 메인 뉴스는 김준으로 갈 거야. (자료 앞으로 툭 던지며) 최근 외신에서 아시아의 미래를 이끌 리더로 김준 관련 기사 낸 거 다들 봤을 거야.

	이걸로 준비해. 그리고 (다른 팀원에게) 대선주자 선호도 여론 조사 결과 나왔어?
팀원 2	아, 네. 김준이 28.5%로 현재 1위입니다.
수호	그걸로 오프닝 준비해.

그 위로 뉴스 시그널과 함께.

16씬   **N, 뉴스룸**

큐사인과 함께 <ON AIR> 불 들어오고.
스튜디오에 앉아 있는 수호,
디스플레이에 대선 주자들 얼굴과 선호도 뜨고.

     <대선주자 선호도… 김준 28.5 민현욱 26.9 윤재형 19.4 허강민 5.3>

수호   안녕하십니까. 오늘 뉴스는 ABS가 실시한 대선주자 선호도 여론 조사 결과로 시작합니다. 여야 전체 주자들을 대상으로 한 선호도 조사에서 한국연합당 김준 후보가 지난달보다 소폭 상승하며 1위를 지켜 냈습니다. (cut)

17씬   **N, 부조정실**

동료 1   갑자기 왜 저래? 김준이라면 치 떨더니?
동료 2   김준 라인 탄 거 아냐?

동료들 수군대며 바라보는 화면 속 뉴스하는 수호의 모습.

| 18씬 | **N, 야경 좋은 와인 BAR** |

안내하는 창가 자리로 걸어오는 수현과 고은.

수현, 고은이 편하게 앉을 수 있도록 의자 빼 주고.

| 고은 | (소녀 같은 미소) 우리 딸 덕분에 엄마가 오늘 호강하네. |
| 수현 | (따스한 미소) |

컷 튀면.

달빛을 품고 잔잔히 흐르는 강물.

와인 잔 건배하며 마시는 두 사람

수현, 미소로 고은을 바라보다가… 잠시 야경을 내려다보는데….

회상

야경에서부터 다시 자리로 돌아오면,

과거 그 어느 날, 행복했던 수현과 수호, 마주 앉아 있고.

수현, '시절 인연' 책에 사인해 주며.

*무수한 시절 인연 속에서 영원히 함께 하기를.

수호	(감격) 와, 드디어 나왔구나.
수현	당신한테 제일 먼저 보여 주고 싶었어.
수호	진짜 애썼다, 우리 와이프 최고다.
수현	당신이 많이 도와줘서 그렇지.
수호	(와인 잔 내밀며) 앞으로도 열심히 보필하겠습니다~!

수현, 웃으며 잔 부딪치는데 연기처럼 사라지며….

현재

고은, 그런 수현을 바라보는데…

무슨 생각 하는지 누구보다 잘 알겠고…

실은 하루 종일 옆에서 느꼈을 수현의 마음을 헤아리며….

고은	엄마한테… 뭐 하고 싶은 얘기 있는 거 아니야…?
수현	(그 소리에 고은을 바라보고…)
고은	뭔데….

수현, 잠시 입을 떼지 못한 채… 그러다 결심한 듯 어렵게….

수현	엄마….
고은	(보면)
수현	우리한테 사진 보낸 사람… 권지웅 아들이야.
고은	(그 소리에 점점 벌어지는 입)
수현	그때… 병원에 업고 간 애… 그 애야… 수호 씨도… 다 알아.
고은	(놀란 채) 너는… 그걸 왜 이제야 얘기해.
수현	(입술 꾹…)
고은	그걸 다 알고도 왜 혼자 버텼어, 엄마한테라도 얘기하지,
	(울컥) 너 혼자 어떻게 그 짐을 다 안고 살았어!

수현, 여태 잘 참았건만… 엄마의 말에 그만….

수현	(무너지듯) 엄마, 나 너무 힘들었어….

고은	(억장이 무너지고…)
수현	내 새끼 죽인 놈 아들이라 걔가 너무 미운데…
	또 걔 이러는 거 보면 가엽고…
	그냥… 이대로 다 멈추고 싶었어.
	모든 게 다 깨져 버리는 거 같아서… (울먹) 무서웠어. 엄마….

누구의 엄마도 아내도 어른도 아닌…
처음으로 아이처럼… 고은 앞에서 울어 버리는 수현…
고은, 수현 옆자리로 가 앉으며 무작정 꽉 껴안아 주고.

고은	불쌍한 내 새끼… 혼자 얼마나 힘들었을까.
	엄마가 돼 갖고 아무것도 모르고… (가슴 치며) 아무것도 못 해 주고….

그저 해 줄 수 있는 거라고는 더욱 꼭 품어 주는 고은…
그 품속에서 그제야 처음으로 무너지며 흐느끼는 수현….

19씬   **N, 바닷가, 포장마차**

깡 소주 마시는 선율.
맨 정신으로는 오늘 듣고 본 것들을 감당하기가 괴롭고…
그때 어디선가 들리는 익숙한 이름에 흔들리는 눈동자.

수호 e	한국연합당 김준 대선 후보자를 향한 관심이 뜨겁습니다.

TV 화면 속 대선 주자로서의 김준 행보

수호	국제 평화 협력의 날을 맞아 외신에서는 '아시아의 미래를 이끌 리더'라는 타이틀로 김준 후보자에 대한 기사를 내기도 (중략)

옆 테이블에서 보고 있던 무리 중.

남자	(잔뜩 취해서) 저런 사람이 대통령 돼야지!

그 말에 선율, 분노 섞인 실소가….

선율	개. 새. 끼.
남자	(인상 험악해지며) 너 지금, 나한테 그랬냐?
선율	(더욱 분노 담아…) 쓰레기 같은 새끼.
남자	(눈 돌아) 이런 미친 새끼가!

술 취한 남자, 선율을 발로 걸어차고 올라타 주먹질하고.
무리들도 거들며 발로 차고.
충분히 막을 수 있는데도 그냥 맞고만 있는 선율 위로.

그동안 내 엄마를 죽이려 한 놈인 줄도 모르고…
내 엄마 살려 주는 고마운 사람인 줄 알고…
김준을 위해 온몸 바쳐 충성을 다했던 자신의 모습 교차되며.

카메라에 마약 파티를 담던 선율. /
카메라 안 뺏기려고 하던 선율. (3화 20씬)

선율	꼬리 붙었어요. (5화 9씬)

비서관에게 돈 봉투 받는 손. (7화 25씬)

사실은 자기혐오의 감정으로 자신에게 했던 말인…
지금 누구보다 죽이고 싶은 건 바로… 나 자신.
이렇게라도 부서지고 싶어서…
죽고 싶은 심정으로 얼터지는 선율 위로 흐르는 달빛을 따라….

20씬　　　**N, 수현의 집, 정원**

그 달빛이 비추는 아래, 들어서는 수현과 고은.

21씬　　　**N, 수현의 집, 현관**

현관문 딸깍 열리면서 함께 들어오는 수현과 고은.

수현　　엄마가 오늘은 웬일이래, 우리 집에서 그렇게 자자고 해도 싫다더니.

고은　　엄마도 좋은 집에서 한번 자 보자.

수현　　(엄마 덕분에 그래도 오늘은 덜 외롭고) 엄마 잠깐만. 갈아입을 옷 좀 가져올게.

고은　　(따스한 미소로) 으응~

고은, 수현이 계단으로 올라가는 걸 끝까지 바라보다가…
시야에서 수현이 사라지자… 그제야 얼굴에 미소가 걷히고.

천천히 휘 둘러보는 고은의 눈동자.
한쪽 구석에 놓여 있는 수호의 슬리퍼.
텅 비어 있는 결혼사진이 걸려 있던 자리.

| 고은 | 이 큰 집에 혼자 덩그러니….

있었을 딸을 생각하니 고은의 가슴 또 저려 오고….

22씬　　**N, 수현의 집, 부부의 방**

스탠드 불빛 아래…
수현, 고은 뒤에서 백허그 한 채 누워 있는… 가만히 그러고 있다가….

수현	엄마…, 그냥 이렇게 우리 둘이 같이 살까.
고은	(수현의 손 쓰다듬으며) 엄만 싫다. 여기저기 꽃놀이 다니면서 살 거야.
수현	나랑 같이 가면 되잖아.
고은	이왕이면 잘생긴 남자랑 가야 재밌지.
수현	어?
고은	(피식)
수현	(같이 웃어 버리고)
고은	(그러다… 담담하게) 근데 수현아….
수현	…
고은	엄마 떠나고 나면… 네 옆에 아무도 없는데….
수현	(애써 아무렇지 않게) 엄마가 떠나긴 어딜 떠나.

(엄마 등으로 더 파고들며) 내 옆에 꼬옥 붙어 있어야지. |
| 고은 | (좋게) 아유, 간지러… 어여 자. |

그렇게 수현의 손등 토닥여 주는…
서서히 카메라 고은의 얼굴을 비추면…
사실은… 고은, '나 없으면 애 어쩌나…' 소리도 못 내고 울고 있고…

수현도… 고은의 등 뒤에서 엄마 없는 건 상상도 안 되고…
그렇게 서로의 감정을 숨긴 채 숨죽여 울고 있는…
그러다….

고은   그 아이… 너무 미워하지 마라.

수현, 엄마의 말을… 가만히 새기는…
그런 두 사람의 모습 위로 더욱 짙어가는 밤….

(시간 경과)

잠든 고은 옆에서…
여전히 여러 생각들로 잠 못 이룬 채 뒤척이는 수현. 그 순간,
휴대폰 진동음. 액정 '선율'
수현, 천천히 몸 일으켜 보다가… 고은 쪽 한번 보고는.

23씬   N, 수현의 집, 거실
        휴대폰을 들고 통창 앞으로 서는 수현. 잠시 망설이다가 받는….

수현   여보세요.

24씬   N, 바닷가
        선율, 여기저기 터진 얼굴로… 아무렇게나 앉아…
        휴대폰 너머 들리는 수현의 목소리를 듣고 있는….

25씬	N, 수현의 집, 거실

수현, 수화기 너머 저 멀리 들리는 파도 소리…

그 위로 들리는 선율의 힘겨운 숨소리만…

그때….

선율 e	나… 여전히 당신 용서할 수 없어….
수현	(…)

cut to 바닷가 / 수현의 집, 거실 (통화 / 교차)

선율	근데, 나한테 왜 이래. 당신도 나 보는 거 괴롭잖아.

수현, 잠시 복잡한 심정으로 창 너머 바라보다….

수현	그래. 괴로웠어.

선율… 어금니 꽉… 듣고 있는 위로….

수현	자식을 잃고 7년을 감옥에 있었어.

그 안에서 하루도 빠짐없이 내 새끼를 그리워하다 또 그렇게 만든

사람을 증오하다가, 언젠가 하루는 그런 생각이 들었어.

… 그 사람한테도 가족이 있겠구나.

선율, 그 말에… 가슴이 요동치는…

저 바다 위에 오징어 배 불빛들 어지럽게 보이는데….

플래시백 미싱에 다쳐 피 철철 흐르던 수현과 스치던. (7화 56씬)

선율   알고 있었어. 당신 이미, 지옥에 있다는 걸.
       나 역시 그러니까.

수현   (…)

선율   근데 외면했어. 이렇게라도 해야 내가 살아 낼 수 있을 거 같아서.
       아니면 죽을 거 같아서.

       차마… 더는 말을 잇지 못하는 선율.
       그런 선율의 마음을 헤아리며…
       수현, 저 멀리 바라보는 눈동자 위로 들리는 파도 소리.
       동트기 전 가장 깊은 어둠 속에 있는 두 사람의 모습에서.
       (F.O)

26씬   **(F.I) D, 수현의 집 외경**
       다시 시작하는 아침 풍경.

27씬   **D, 수현의 집, 서재**
       수현, 새롭게 마련한 아크릴 판에 관계도 붙이는데.

       플래시백 (11화 39씬)

수호   나도 할 만큼 다 했어. 힘이 없는데 뭘 더 어쩌라고!

수현	당신이 멈췄다면 나라도 끝까지 갈 거야.

그렇게 수호가 모아 둔 자료들 붙이고,
그동안 자신이 알아낸 정보들 플백으로 떠오르며
적어 내려가는 수현의 모습, 빠르게 교차되고.

수현 e	건우 사건을 덮기 위해 음주 수치 조작, (cut)
	포섭된 법조인들, (11화 37씬) (cut)
	백두대간, (10화 57씬) (cut)
	부영동 비리, (cut)
	내연녀 윤혜금을 통한 돈세탁, (8화 57씬) (cut)
	은민을 살해하려 한 정황들. (11화 37씬) (cut)
	이 모든 게 한 사람으로 통해 있어. 김준.

부영동 / 용역업체
관계도 속 김준의 뒷일을 해 준 키워드들이 눈에 보이고.

수현	김준과 권지웅은 사업적으로 긴밀한 관계였어.

계속 채워 나가며, <김준 - 권지웅 유착 관계>

수현	분명 둘 사이에 뭔가가 있어.

그 옆에 붙이는 은민의 판결문.

수현	김은민을 죽이려 한 건, 남편 권지웅과 관련된 일이야.

여기까지 정리를 끝내고.

수현   니들이 감추고 있는 게 뭔지, 김준이 어떤 사람인지 다 밝혀 내야 해.

더욱 단호해지는 수현의 눈빛.

28씬   **D, 고은의 식당 앞**
이만큼 떨어진 곳에 세워져 있는 선율의 오토바이.

선율, 저기 창 너머 고은을… 바라보고 서 있는…
차마… 들어가는 못하겠고…
그 앞에 과일바구니 내려놓고는…
고개 떨군 채… 발길 돌리는데… 등 뒤에서.

고은 e   (문 열리는 소리와 함께) 왜 그냥 가.

선율, 천천히 돌아서면… 그 앞에 서 있는 고은.

고은   (낮은…) 들어와.

선율, 흔들리는 눈동자.

cut to   식당 안
선율 앞에 내려놓는 고은의 된장찌개.

고은	(차갑지도 그렇다고 따뜻하지도 않은⋯) 먹어.
선율	(보기만⋯)
고은	어머니 보내고 뭐 제대로 먹기나 했겠냐.

소리에 선율, 흠칫. '내가 누군 줄 아는구나⋯.' 고은을 쳐다보고⋯
고은도⋯ 선율의 터진 입술을 쳐다보다가⋯.

고은	(좀 엄하게) 그래, 죽을 만큼 미운 사람한테 분풀이하니까 속이 후련하냐? 이제 좀 살 것 같아?
선율	(흔들리는⋯)
고은	아무 잘못 없는 네 인생 왜 네가 괴롭혀. 이럴 거면 차라리 너도 차로 밀어 버리지 그랬냐!
선율	(입술 꽉⋯)
고은	(아들처럼 생각하고 혼내는) 너 살인자 자식이지, 난 살인자 부모다.
	그렇다고 이렇게 무너지면 남은 가족들은 어떻겠냐.
	하늘에 있는 네 엄마가 어디 맘 편히 눈이나 감겠냐.
	나도 내 새끼 생각하면 이렇게 가슴이 찢어지는데⋯!
선율	(울컥)
고은	(진심으로 꾸짖어 주며) 내 새끼한테 이러지 마라. 나 힘들다.
	나만 힘든 게 아니라 너희 엄마도 힘들어.
	세상 엄마들 다 똑같아. 자식 아픈 거 보는 게 제일 고통스럽다.

선율, 그만⋯ 차오르는 눈물.
어쩌면 누군가가 이렇게 말해 주길 바랐을 지도⋯
이렇게 잡아 줬음 했을 수도.

툭 떨구는 눈물… 그러다…
고은이 차려 준 된장찌개를 보다가… 묵묵히 먹는 걸로 대답하는…
'잘못했습니다…'
선율도 울고… 고은도 가슴으로 울고….

(시간 경과)

선율이 가고 난 후… 혼자 멍하니 정신 줄 놓고 앉아 있던 고은.
얼마나 지났을까.
순간, 뭔가 '퍼뜩!' 정신이 차려지고.

고은   (화들짝) 아이고, 내 정신!

뭣 때문인지 갑자기 황급히 주방으로 사라지는…
어쩐지 불길한 고은의 뒷모습에서….

29씬   D, 방송국 입구 혹은 로비
           동료들과 점심 먹고 들어오는 수호, 그때.

한상 e   야 강수호!

돌아보는 수호, 순간, 수호에게 날아오는 밀가루.
사람들 일제히 놀라 소리 지르고.
옷이며, 머리칼이며 밀가루가 묻은 채 바라보는 수호.

한상	(흥분) 너 요즘 뭐하냐? 사람들이 수군대, 새끼야! 천하에 강수호가, 김준 대통령 될 거 같으니까 그 밑으로 줄 댔다고! 김준 저격수가 김준 나팔수 됐다고!

수호, 대꾸할 가치도 없다는 듯 갈 길 가고.
동료들, 그런 수호를 엄호하듯 따라 황급히 들어가고.
몇몇은 그 모습을 휴대폰으로 찍고 있고.

한상	(경호원들에게 끌려 나가면서도) 가만히 참고 사는 사람, 들쑤실 땐 언제고, 그래! 김준의 충성스러운 개 돼라! 그래서 잘 먹고 잘 살고 잘 짖어라! 이 개새끼야!!

표정 하나 바뀌지 않고 계속 걸어가는 수호의 얼굴에서.

30씬   **D, 화장실**

수호, 머리를 털어 내고… 그러다 거울 속 자신의 모습을 바라보는…
그때, 울리는 휴대폰. 마음 다잡고.

수호	네.
김준 e	아이고, 강 국장!

31씬   **D, 유세 현장 임시 대기실**

밖에서 들리는 유권자들의 '김준 김준!' 연호와 함께,
<오직 김준만이 바꿀 수 있습니다! 기호 1번 김준>
<가자! 사람답게 사는 세상 당신을 위한 대통령 기호 1번 김준>
팜플렛 보이고.

김준, 간단히 메이크업 받으며, SNS에 올라온 수호 사진들 보며.

김준   이 뭔 일이고. 내 땜에 험한 꼴 당한 거 같아 내 속이 다 쓰리네.

cut to   화장실 / 대기실 (교차 / 통화)

수호   뒤에서 하는 말들 신경 안 씁니다. 괜찮습니다.
김준   (미소) 하모, 그래야재. 참, 캠프는 언제쯤 들어올랍니까?
수호   지지율 끌어올려서 클린하게 마무리하려면 3차 TV 토론 직전에 들어가는
게 좋을 듯 합니다. 그때까진 계속 언론 쪽에서 밀겠습니다.

거울 속 자신을 바라보는 수호의 눈빛.

32씬   **D, 유세 현장**
김준, 등장하자 지지자들 소리 지르고.
'김준! 김준!' 연호하는 가운데 김준, 지지자들 손도 잡아 주고.
그렇게 유세 차량에 올라타는 모습을,

건너편에서 지켜보며 서 있는 선율.
당장이라도 달려가 저 목을 비틀어 버리고 싶다만….

선율   (간신히 꾹 누르며 '수진'에게 전화 걸고) 부탁 좀 하자.
너희들, 준성 재단에 대해서 좀 알아봐.

33씬   **D, 육교**

저만치 가해자 아내가 멍하니 앉아 있는 걸 눌러보는 선율.

그때, 문자 수신음. 확인하는 선율의 눈빛, 흔들리고.

34씬   **D, 호수 공원**

벤치에 앉아서 호수를 바라보는 수현, 그 옆으로 다가와 나란히 앉는 선율.

지난 밤… 처음으로 털어놨던 서로의 속내…

그렇게… 죽일 만큼 미워했지만 또 누구보다 안쓰러운… 서로를…

복잡한 마음으로… 잠시 바라보는 두 사람 그러다….

수현   김준이 네 엄마를 죽이려 한 이유, 네 아빠랑 관련 있는 거 같아.

선율   (흠칫)

수현   적어도 내 생각은 그래. 그리고 김준 말야. 우리 건우 사건에도 연관이 있어.
      난, 어떻게든 알아내려고. 혹시, 너도… 네 엄마 사고에 대해 놓친 게 있는지
      한번 생각해 봐.

선율, 그 말에 잠시 생각하는… 그러다 다시금 수현을 바라보는데….

선율   엄마가 마지막으로 한 말이 태블릿…이었어요.

수현   (?)

선율   다 찾아봤는데 어디에도 그런 건 없었어요. 엄마가 쓴 적도 없었고, 근데, (수
      현을 쳐다보고)

수현   (보면)

선율   최근에 집에 누가 몰래 왔다 갔어요. 김준도 그걸 찾는 거 같아요.

수현, 그 말에 선율을 바라보는 눈빛.

35씬　　　**D, 서점**

수현, 책들 사이를 거닐다가 책 한 권 뽑아 들고.

수현 e　　죽음을 맞이한 순간에 마지막으로 남기는 말은, 절대적으로 가장 간절한 사
　　　　　　항일 것이다. 그동안 하지 못했던, 꼭 필요한 말.

　　　　　　죽어 가던 은민이 그냥 한 말이 아닌 걸 누구보다 알기에…
　　　　　　계속 '태블릿'이 수현의 머릿속을 맴도는 그때였다.

　　　　　　중학교 2학년 문제집을 들고 이쪽으로 걸어오던 혜금과 마주쳤고.
　　　　　　혜금, 순간 움찔.
　　　　　　수현도 복잡한 심정으로 혜금을 바라보는데….

혜금　　　(차마… 수현을 똑바로 못 보겠고…) 저… 곧 떠나요.
수현　　　김준이 그러라고 하나요.
혜금　　　(차마…)
수현　　　당신 같은 사람이 왜 김준 밑에서 나쁜 짓을 해요,
　　　　　　희재 생각해서라도 그렇게 살지 마요.

　　　　　　수현, 단호한 시선으로 혜금을 보다가 지나쳐 가려는데.

혜금　　　(요동치는…) 그 사람 진짜 무서운 사람이에요.
수현　　　(돌아보고…)

혜금	(진심으로 수현이 걱정돼서) 행여 그 사람 상대로 싸울 생각 말아요. 그러다 건우
	엄마만 다쳐요.
수현	(그 말에 일말의 흔들림도 없이) 세상 어느 엄마가 자식 일에 다치는 걸 두려워할
	까요.
혜금	(!)
수현	그동안 내 새끼 사고에 대해 난 아무것도 몰랐어요. 이제라도 바로 잡고 제
	대로 알릴 겁니다.

그렇게 단호하게 자리 뜨는 수현의 뒷모습에…
혜금의 가슴 요동치고… 같은 엄마로서 자괴감도 들고… 괴로운….

36씬   N. 수호의 레지던스 지하 주차장

막 들어서는 수호의 차.
수호, 주차하고 차에서 내려, 입구로 걸어가는데
그 순간, 발걸음, 딱 멈추어 서고.
그러더니만 갑자기 발길 돌리고.
저 구석에 썬팅 진한 차를 향해 걸어와 창문 똑똑.
스르륵 창문 내려가면 차 안을 향해.

수호	(다 알고 있다는 듯) 그냥 회사 집만 왔다 갔다 하잖아요.
	그만 감시하고 퇴근들 하세요.

그러고는 걸어가는 수호.

| 37씬 | N, 수호의 레지던스 로비 우편함 |

수호, 무심히 503호 우편물 빼내면서, 603호 우편물도 빼 가는.

| 38씬 | N, 수호의 레지던스 |

들어오는 수호 뒤로 현관문 닫히며 잠기는 소리.
잠시 그대로… 불 꺼진 집 안을 바라보다가….

천천히 들어와 책상에 앉고는…
우편물 중, 603호 앞으론 온 봉투(사진 들어갈 사이즈는 되어야 함), 뜯어서 뭔가를
확인하는 수호의 의미심장한 눈빛.

컷 튀면.

수호, 막 정리한 자료들 서랍 안에 다 집어넣고…
그제야 낮은 한숨과 함께 지친 몸, 의자에 깊숙이 넣고 기대는데…
문득… 그 위로 들리는 건우 목소리….

| 건우 e | 건우, 아빠도 볼래~ |

플래시백 (1화 10씬)

| 건우 | 아빠다! 건우 아빠다! |

수호, 조금씩 올라오는 감정…
그러다 시야에 들어오는 액자 속, 수현, 건우, 수호의 가족사진.

'물장난 치는 수현 가족' (1화 8씬 액자 사진)

그걸 보는 흔들리는 수호의 눈동자 위로.

건우 e   축하해~ 엄마~

플래시백   (1화 5씬)
바비큐 파티하며 행복한 저녁을 보내는 수현의 가족. (cut)

물장난 치는 엄마 아빠 사이를 까르르 뛰어다니는 건우와 행복이. (cut)

현재
수호, 그제야… 천천히 팔로 얼굴을 가린 채…
아직 여기서 무너지면 안 되는데… 조용히 뺨을 타고 흐르는 눈물….

수호   미안해… 건우야….

적막 속, 숨죽인 수호의 흐느낌… 더 커지며….

수호   미안해… 수현아….

그렇게… 어둠 속… 수호의 숨죽인 낮은 숨소리만이…. (F.O)

39씬   **(F.I) D, 청담 숍 외경**

40씬	D, 청담 숍 대표실

대학교 특강 요청문, 출판사 문의 이메일 모아 놓은 것들.
책상 위에 놓여 있고.

cut to   청담 숍
유리. 직원들과 함께 옷 분류하고, 택 붙이고, 상품 디피하고.

유리	(차라리 정신없이 일하는 게 속 편하고) 이 제품 재고 체크하고 이쪽 라인은 컬러 맞
	춰서 다시 세팅하고.

바삐 움직이는 유리 위로 마침 울리는 휴대폰.
확인하는데, 순간, 유리 심장이 '철렁!'
액정 '엄마'

유리	자, 잠깐만.

황급히 한쪽으로 나와 다잡고는 떨리는 마음으로 받는데….

유리	여…보세요.
고은 e	좀 와라.
유리	(흠칫!)

41씬	D, 청담 숍 주차장

유리, 황급히 차에 올라타고.
고은이 자신을 불렀다는 생각에 혹시 날 용서해 주려나 반은 기대도 됐다가

또 반은 두렵기도 하고.

42씬   **D, 도로 (아우디 PPL)**

다이나믹 모드로 그렇게 미친 듯이 차를 모는 유리의 모습에서.

43씬   **D, 고은의 식당**

유리, 떨리는 심정으로 문 열고 들어서는데…

고은, 유리가 온지도 모른 채로 요리하는.

앞에는, 각종 반찬들 늘어져 있고.

고은, 미역국 간 보는데, 그러다 유리와 눈 마주치자.

고은   (아무렇지 않게) 왔어?

유리   (고은을 살피고)

고은   이리 와서 반찬 좀 챙겨 가.

유리   (갑자기 반찬을 왜… 얼떨떨한 채) 어…?

고은   (좋게) 수현이 생일이잖아. (저쪽 가리키며) 네 것도 챙겨 놨으니까 어여 가져가.

유리   (이게 뭔 상황인지 모르겠어서…) 언니… 생일이요?

고은   참, 수현이는 잘 도착했다냐?

유리   (도무지 무슨 소린지…) 어딜.

고은   어디긴. 무슨 학횐지 뭔지 출장 갔잖아. 너는 매니저라는 애가 왜 이렇게 정
         신이 없어.

유리   (그제야… 멍해지며…) 엄…마?

고은   (아무것도 모른 채 해맑게 반찬 담으며) 수호랑 건우랑 둘만 있을 텐데 반찬 좀 갖다
         줘야겠다.

유리, 그만 가방 툭… 떨군 채…!

44씬　　**D, 수현의 집, 거실**

수현, 통창 너머 혜금이 이사 가는 걸 내려다보는…

'결국 이렇게 떠나는구나…'

나가는 짐들을 눌러보다가 돌아서려는 그 순간 멈칫.

저기 이사 트럭에 실리는 희재의 자전거.

그 순간, 조금씩 요동치는 수현의 눈동자, 그 위로 빠르게 돌아가는.

건우 사고 날의 기억 컷컷 되며.

공항에서 건우 아프다는 전화. (1화 12씬) (cut)

수현, 집 앞에서 내리는데 자전거 연습 중인 희재. (cut) /

다시 들어가는 수현의 눈에 혜금의 손에 촬영 중인 휴대폰.

(1화 16씬) (cut)

혹시 뭐가 찍혔을 수도!

이미 출발하는 이사 트럭.

수현, 황급히 뛰어나가는데.

45씬　　**D, 수현의 집, 대문 앞**

벌컥 대문을 여는 수현 앞에 동시에 서 있던 혜금.

서로 놀란 채 바라보다가.

혜금	건우 엄마가 한 말이… 계속 마음에 걸려서요.
	(조심스레) 실은 그날, 건우가 태블릿을 들고 나가는 걸 봤어요.
수현	(!)
혜금	(황급히) 더 이상은 몰라요. 죄송합니다.

그렇게 저만치 멈추어 선 차에 서둘러 올라타고 다시 출발하는.
수현, 놀란 채…!

46씬   **D, 수현의 집, 거실**
들어서는 수현 위로 떠오르는 혜금의 말….

혜금 e	실은 그날, 건우가 태블릿을 들고 나가는 걸 봤어요.

순간.

수현	(요동치는) 태블릿?

47씬   **D, 방송국 회의실**
수호, 일하다 말고 황급히 나와 울리는 전화 받으며.

수호	(떨리는 목소리 가다듬으며) 수현아.

48씬   **D, 수현의 집, 건우의 방 / 방송국 회의실 (교차 / 통화)**

수현, 미친 듯이 건우 물건들 뒤지다 말고.

수현	(다급) 당신 그때 건우 사고 현장에서 받은 소지품 중에 태블릿이 있었어?
수호	(무슨 소린가 싶어서) 아니. 없었어. 왜?
수현	혜금 씨가 그날 봤대. 우리 건우가 태블릿을 들고 나간 거…!
수호	(흠칫) 어?
수현	근데 아무리 찾아봐도 집엔 없어. 그럼 도대체 그게 어디로. (순간)

플래시백

선율	엄마가 마지막으로 한 말이 태블릿…이었어요.

뭔가 맞물려지며… '설마?!'

수현	(요동치면서도 침착한…) 다시 걸게.

끊더니, 황급히 뛰쳐나가는 수현.

cut to 방송국 회의실
수호, 도대체 무슨 일인가 싶어 휴대폰 끊는 위로.

동료	국장님, 회의 준비 다 됐는데요.
수호	(아무래도 수현이 걱정돼서 안 되겠고) 잠깐만 나갔다 올게!
동료	(뛰어나가는 수호를 보며 황당) 국장님!!

49씬	D, 선율의 원룸

49씬   D, 선율의 원룸

선율, 엄마의 휴대폰을 집어 들며 통화 목록들을 살피는 위로.

수현 e   혹시, 너도 네 엄마 사고에 대해 놓친 게 있는지 한번 생각해 봐.

'그래. 다시 체크해 보자.'
그렇게 하나하나 들어보는 선율의 표정과 은민의 목소리 교차 되며.

은민 e   선율아. 엄마 좀 급하게 가볼 데가 있어. 냉장고에 국 있으니까 꺼내서 데워
먹어. (cut)

동네 사람 e   자기 아들 어떻게 됐어?
은민 e   (좋아서) 우리 아들이 의대 합격했잖아~ (cut)

동네 사람 2 e   아무리 그래도 사모님이 식당 일을 어떻게 하세요.
은민 e   아들 등록금 대려면 뭐든 해야죠. (cut)

듣고 있는 선율의 표정 위로 계속.

지웅 e   여보. 잘 갖고 있지?
은민 e   어 잘 갖고 있어. (cut)

'뭘 갖고 있으라는 거지?' 다음 녹음으로 넘어가는데.

동네 사람 e   선율 엄마, 왜 안 와?
은민 e   어어… 오늘 몸이 좀 안 좋네. 다음에…. (cut)

역시 별거 없는 통화 내용에 다음 녹음으로 넘어가려는데,
순간 멈칫. 그제야 떠오르는 그날의 기억.

e   울리는 휴대폰 벨 소리와 함께.

50씬   **(회상) D, 세현동 선율의 집**
           선율, 막 문 열고 들어서며.

선율   다녀왔습니다.

           테이블 위, 울리고 있는 은민의 휴대폰 집어 들고 안방으로.
           누워 있는 은민.

선율   엄마, 전화 왔어.
은민   (그제야 힘겹게 몸 일으키고) 어. (받는데 어쩐지 안색이 안 좋은…) 오늘 몸이 좀 안 좋네…
           다음에…. (끊으면)
선율   (은민을 살피며) 어디 아파? (이마 짚어 보는데) 열이 좀 있네?
은민   (애써) 아냐… 그냥 좀… 피곤해서….
선율   일어나. 나랑 같이 병원 가.

           은민, 그런 아들을 잠시 바라보다가… 선율의 손 꼭 잡아 주고….

은민   우리 아들이 있어서 엄마가 얼마나 든든한지 몰라.
선율   (괜히 머쓱해서 피식) 갑자기 왜 그래.

은민, 곧 일어날 불행을 직감한 듯…
목에 걸고 있던 목걸이 빼더니.

은민 선율아. 이 목걸이 엄마가 엄청 아끼는 거 알지?

선율 (보면)

은민 (선율 목에 걸어 주고) 이제 네가 갖고 있어. 절대 잃어버리면 안 돼.

    현재
    그러고 보니 엄마가 나한테 목걸이를 준 날…
    선율, 잠시 목걸이를 열어… 그리운 은민의 얼굴을 보다가,
    도로 닫는데, 경쾌하게 닫는 소리, '탕'
    그 순간, 요동치는 선율의 눈동자.
    황급히 은민의 통화 녹음 목록을 다시 찾아 듣는 위로.

지웅 e 여보. 잘 갖고 있지?

은민 e 어 잘 갖고 있어.

    (은민의 목소리 너머 아주 작게 들리는 '탕' 소리)

    아까는 귀에 들리지도 않았건만, 분명 같은 소리!

선율 목걸이?

    와 동시에, 다급한 초인종 벨.
    선율, 문 벌컥 열림과 동시에.

51씬	**D, 수현의 집, 거실**

문 벌컥 열고 들어서는 수호.

수호	수현아!

cut to   **부부의 방**

여기저기 찾아봐도 수현이 없고.

수호, 전화 걸려는데 휴대폰까지 두고 간. 그때 울리는 전화.

수호	(난감하게 받으며) 어.
동료 e	(다급) 국장님 대체 어디세요? 보도국 전체 회의라 사장님까지 기다리고 계신데!
수호	(하는 수 없고) … 지금 가. (끊고는) 대체 어디 간 거야.

52씬	**D, 선율의 원룸**

수현, 선율과 마주선 채.

선율	(요동치는) 지금… 그게 무슨 말이에요?
수현	(떨리는) 네 엄마가 말한 태블릿, 우리 건우 거 같아.
	나, 이거 반드시 찾아야 돼!

선율, 놀란 채… 그러다.

선율	내가 놓친 게 있는지 생각해 보라고 했죠.
수현	(!)

선율	(목걸이 건네며) 이거밖에 없어요.
수현	(흠칫)
선율	엄마가 사고 당하기 며칠 전에 저한테 주신 거예요.

수현, 받아 들고 황급히 이리저리 살펴보는데, 어쩐지 느낌이 왔고.

수현	(선율에게 소중한 건지 알지만 간절하게) 이거, 뜯어볼 수 있을까.
선율	(바라보고…)

컷 튀면.

선율, 수현을 위해 목걸이를 날카로운 것으로 분해하는.
은민의 사진 빼내는 순간, 드디어 숨겨져 있던 SD 카드.
수현도 놀라고 선율도 놀라고!
그렇게 SD 카드, 컴퓨터에 연결해 클릭하는 순간.

<황금당 전당포> 사진 한 장.

수현, 확인과 동시에 달려 나가고. 선율도 뒤이어 따라 가는데.

53씬   **D, 선율의 집 앞**

이미 시동 걸고 다급하게 출발하는 수현의 차.
그 뒤를 쫓아 나온 선율도 황급히 오토바이로 쫓고.
동시에 그 뒤를 따라붙는 검은색 세단.

54씬   D, 도로

앞서 달리는 수현의 차와 뒤따르는 선율.

순간, 오토바이 사이드 미러로 보이는 검은 세단.

'김준 쪽에서 꼬리를 붙였구나. 그렇다면.'

선율, 검은 세단의 진로를 방해하고.

세단 앞을 막아서며 멈춰 세우는.

오토바이 미러로 무사히 멀어지는 수현의 차를 확인하는 선율.

그때, 장정들과 함께 내리는 성난 비서관.

니들 뜻대로 안 된다는 듯 서늘하게 눌러보는 선율의 눈빛.

55씬   D, 황금당 전당포

초조하게 서성이며 기다리는 수현.

박스를 갖고 나와 건네는 주인.

수현, 목례하며 받아 들고는…

떨리는 마음으로 천천히 열어 보는데.

별부터 보이기 시작하고… 우리 건우가 갖고 놀던… 태블릿….

수현   (심장이 쿵…!)

56씬   D, 고은의 식당

고은, 반찬통 양손에 챙겨 들고, 나갈 채비도 마쳤고.

고은	(서 있는 유리를 보며 미소로) 가자, 우리 건우한테.
유리	(가슴이 덜덜 떨리고) 엄마… 잠깐만… 언니 오면… 같이 가….
고은	(깜짝 놀라고) 우리 수현이가 오기로 했어?
유리	(울컥) 어어… 얼마만큼 왔는지 통화해 볼게. 엄마 잠깐만….

57씬　　**D, 고은의 식당 앞**

유리, 덜덜 떨리는 손으로 계속 수현에게 전화 걸지만…

e	지금은 전화를 받을 수 없어….

유리	(울컥) 언니… 제발….

cut to　고은의 식당

유리, 얼른 다잡고는 다시 들어오는데 고은이 없고.
바닥에는 반찬통들 널브러져 있는.

유리	엄마? (두리번) 엄마? (소스라치며) 엄마!!

유리, 황급히 뛰쳐나가고.

58씬　　**N, 수현의 집, 건우의 방**

충전기에 꽂은 건우의 태블릿, 띠리링 전원이 들어오고.
수현, 떨리는 마음으로 열어 보는데.

갤러리 속   내 새끼 해맑게 웃고 있는 사진들.

한 장 한 장 넘겨보는 수현… 차마 소리 내 울지도 못하겠고….

눈에 넣어도 안 아픈… 내 귀한 새끼… 내 소중한 새끼…
그러다, 눈에 들어오는 동영상 섬네일.

수현, 아프게 바라보다가… 클릭하면….

태블릿 영상
환하게 웃는 건우, 노래 부르며.

건우   생일 축하합니다. 생일 축하합니다~~

INS   *팔다리가 떨어져 나가는 듯한… 수현의 얼굴….*

건우   사랑하~는 엄마의 생일 축하합니다.
             엄마! (둥근 원 그리며) 이~만~큼 사랑해~ 쪽!

수현   (심장이 조각나는 듯한…) 건우야….

순간, 건우가 대문 쪽을 바라보고.

건우   어?

건우가 태블릿 양손에 들고 대문 쪽으로 걸어간다.

태블릿 화면에는… 건우의 턱과 하늘이 보이는.

수현   (영상 속 건우를 붙잡으려…) 안 돼 건우야….

그 위로.

59씬   **N, 수현의 집, 대문 앞 (변경)**
'끼이익_' 다급하게 멈추어 서는 선율의 오토바이.
주차된 수현의 차 확인하는 선율의 눈빛.
황급히 수현 집 초인종 누르려는데, 열려 있는 문.

60씬   **N, 수현의 집, 현관 (변경)**
선율, 열고 들어오며.

선율   저기요.

그때, 2층 쪽에서 뭔가 웅웅대며 들리는 소리.
그쪽을 향해 다가가려는 그 순간.

e   (자동차 충돌음) 쿵!

61씬   **N, 수현의 집, 건우의 방**
점점 거칠어지는 수현의 숨소리만이 건우 방을 가득 메우고…

태블릿 속 영상을 바라보는 수현의 요동치는 눈동자…

그 순간 점점 세상에 모든 소리가 다 사라지고…

그 속에 점점 울려 퍼지는….

건우 e   (아픈…) 엄…마… 엄…마….

'안 돼! 제발 살려 줘!' 경악하는 수현의 눈동자.

cut to   동, 건우의 방 앞

뒤에 서 있던 선율도 충격으로 얼어붙는 눈동자.

cut to   N, 놀이터

고은   (목청이 터져라) 건우야! 건우야아!!

그 세 사람의 얼굴 위로.

(태블릿 화면 속에서 들리는) '부우우우우우웅! 덜커덩!'

'쿵!' 블랙아웃.

12화 엔딩

WONDERFUL WORLD

원더풀 월드

- 13화 -

숨겨진
지식에 대한
이야기입니다

1씬	프롤로그

자막	건우 사고 당일 (2015. 07. 14.)

2씬	D, 김준의 차 안
	김준, 술이 좀 된 얼굴로 운전하면서 전화 걸고.

김준	(휴대폰 귀에 갖다 대며) 혜금아. 내다,
	내 지금 거의 다 왔다. 잠깐 얼굴만 보고 갈 기다.
	끊는데, 띠링 문자 수신음.
	김준, 전방 주시하지 않은 채 문자 확인하는… 그 순간, '쿵!'
	'끼익-' 멈추어 서는 김준. '뭐꼬?!'
	컷 튀면.

차에서 내리는 김준 앞에 건우, 쓰러져 있고.

김준   (충격!)

김준, 다급하게 아이 상태를 살피며 휴대폰 꺼내 드는데…
순간, 서서히 싸늘해지는 눈빛.
주변을 둘러보는데 아무도 없다. CCTV도 없다.
그렇게 전광석화처럼 건우와 태블릿을 뒷좌석에 급히 싣고.
(동시에 보조석 아래로 떨어지는 태블릿)

그 과정에서 벗겨진 건우의 운동화만이 바닥으로 나뒹구는.

3씬   **중환자실 앞**

은민, 고통 속에서 떨고 있는 그때, 달려온 지웅을 향해.

은민   여보!

지웅   (중환자실 보며) 어떻게 된 거야?

은민   (울먹) 이식 더는 늦출 수 없대… 오래 못 버틴대….

지웅   (충격!)

은민   (기어이 울음) 여보, 우리 선율이 좀 살려 줘, 우리 아들 좀!

지웅도 심장이 타들어 가는데…
그때, 울리는 휴대폰. 액정 '김준'
지웅, 받자마자 그 위로.

김준e	지금 빨리 좀 온나.
지웅	(괴롭고) 의원님, 그게 지금은 좀. (순간)
김준e	(O.L) 아를 하나 쳤다.

순간, 놀라는 지웅의 눈동자.

4씬   **N, 폐차장, 김준의 차**

황급히 김준의 차 보조석에 올라타는 지웅.

지웅	(놀란 채) 애를 쳤다는 게 도대체 무슨. (순간)

뒷좌석에서 건우의 고통스런 신음. "엄…마…."

지웅, 얼어붙고…!
그러면서도 아직 살아 있는 건우의 모습에….

지웅	(당황) 빠, 빨리 병원부터 가야 하는 거 아닙니까?
김준	행님, 우리 같이 술 마신 거 잊었나.
지웅	(움찔)
김준	(어쩐지 서늘) 쟈가, 내 얼굴을 봤는데. (떠보듯) 우찌해야겠노.
지웅	뭐, 뭘….
김준	(서늘) 이제 청와대가 코 앞인데 벌레 한 마리 밟았다고, 가던 길 멈춰야겠나. 아님 밟아 쥑이고 가야겠나.

그때 건우, 또다시 "엄…마…."

그런 건우를 바라보는 지웅의 눈빛, 흔들리고.
그러다 눈빛 싹 돌변하더니.

지웅   의원님, 아무 걱정 마십시오! 이건! 제가 한 걸로 하겠습니다!
김준   (원하는 대답이라 마음에 들고) 행님이 그래 줄랍니까?
지웅   대신! (비열해지는 눈빛으로) 제 아들 좀, 살려 주셔야겠습니다?
김준   (이 새끼 봐라, 싶으면서도 그러겠다는 눈빛과 함께 지웅 어깨를 꽉 거머쥐며) 뒤탈 없이 잘
         처리해 주소.
지웅   (충성을 바치며) 네!!

컷 튀면.

운전석에 혼자 남겨진 지웅, 백미러로 보이는 건우의 모습.
막상 하려니 고통스러운… 그 위로.

은민 e   여보, 우리 선율이 좀 살려 줘, 우리 아들 좀!

조금씩 핸들을 쥔 손에 힘이 들어가고.
'그래! 내 새끼 살릴 수만 있다면 지옥 불이라도 들어갈 수 있어!'

INS   *지웅, 땅바닥에 살아 있는 건우를 눕히고.*

지웅, 다시금 운전석에 앉고.
땀범벅인 채, 핸들 쥔 손 덜덜덜. 그러다…
눈빛 돌변하는 지웅.

그 위로, 시동 거는 소리에서 화면 점점 어두워지며.

블랙아웃.

타이틀 <원더풀 월드>

5씬	**N, 수현의 집, 건우의 방**

태블릿에서 나오는 소리를 들으며 점점 패닉에 빠지며…
온몸이 덜덜 떨리는 수현. 그 위로.

e   부아앙 시동 걸리는 소리.

'안 돼!' 수현, 심장이 멎은 듯한!
뒤에 서 있던 선율도 충격으로 뒷걸음질!

6씬	**N, 수현의 집, 정원**

선율, 현관을 박차고 패닉 상태로 뛰어나오고.

7씬	**N, 수현의 집, 대문 앞**

선율, 대문을 붙잡고 나와 서며 간신히 거친 숨 몰아쉬는.
그 위로 어지럽게 교차 되며.

지웅 e	제 아들 좀, 살려 주셔야겠습니다.

INS	*선율의 요동치는 눈동자.*

은민	그 여자 미워하지 마. (10화 18씬)

INS	*이제야 모든 퍼즐이 맞춰지는 선율의 핏발 선 눈동자.*

8씬	**(회상) D, 병실**
	침대 위, 수술 후 의식 돌아오는 선율을 향해.

은민	선율아! 정신이 들어…?!
선율	엄…마….
은민	(울컥) 이제 살았어! 이식 수술 받았어…!
선율	(힘겹게) 어떻게…?
은민	어? 갑자기… 그렇게 됐어. (울컥) 수술 잘 됐대, 선율아.

현재

선율, 그만 자리에 털썩.
심장이 터질 것 같은 충격으로 가슴을 움켜쥐고.

9씬	**N, 수현의 집, 건우의 방**
	수현, 여전히 태블릿 앞에 충격으로 얼어붙은 채.
	그러다 천천히 일어나는데…

한 걸음, 두 걸음, 그 위로,

방금 전 목소리들, 귓가에 환청처럼 엉켜 들리고.

사방으로 어지럽게 보이는 건우 장난감들, 건우 책, 건우 사진들.

그제야, '쿵!' 주저앉음과 동시에.

수현   (짐승 같은 울음소리) 안 돼애애애애! 안 돼애애애애!

바닥을 기며 온 살갗이 찢겨 나가는 듯한,

자신의 아이가 사고가 아니라 살해당했다는 사실에…

이성의 끈을 완전히 놔 버린 수현의 외침이 온 집안을 진동하고….

10씬   **N, 수현의 집, 대문 앞**

무너진 채 고통스러워하는 선율 위로도… 들리는 수현의 절규.

11씬   **N, 청담 숍 대표실**

유리, 수현에게 계속 전화 걸지만.

e   지금은 전화를 받을 수 없어….

유리, 하는 수 없이 끊다가, 엄마가 싸 준 도시락을 바라보는데…

그 위로.

12씬   **(회상) N, 고은의 동네**

초조하게 기다리던 유리, 저만치 걸어오는 고은 모습에,
황급히 고은에게 뛰어가며.

유리　　(놀라서) 어디 갔었어요. 언니도 전화 안 받고.

고은　　(무안한 마음으로 지나가다가 발끈) 뭐 하러 수현이한테 연락을 해. 별일 아냐. 신경
　　　　쓰지 말고 넌 반찬 챙겨 놓은 거나 갖고 가. (들어가려다 강경하게) 수현이한테
　　　　아무 말 마.

　　　　그러면서 들어가는 고은을… 유리… 좀 이상한데 말은 못 하겠고.
　　　　그렇게 그 자리에 선 채로….

　　　　현재　N, 청담 숍
　　　　유리, 잠시 머뭇… 그러다 문자를 보내는….

유리 e　언니… 엄마가….

　　　　차마… 도로 휴대폰 내려놓는 유리… 마음이 고통스럽고….

13씬　　N, 고은의 집, 안방
　　　　어둠 속, 고은 생각에 잠긴 채… 그 위로.

14씬　　(회상) N, 골목길 여기저기
　　　　골목을 돌며 여기가 어딘가 헤매는 고은.
　　　　이리 봐도 저리 봐도 고은 눈에는 다 생소하고 낯설고.

사방이 어지럽게 돌아가는 가운데 고은의 머릿속도 뒤엉킨 채….

cut to   N, 동, 일각
여전히 헤매며 걸어 다니던 고은.
그 순간, 멍해지며… 천천히 멈추어 서는 발.
그러다 자신의 모습을 한번 보고 주변을 둘러보고…
그제야 자신이 지금 하고 있는 행동을 자각하고는.

고은   (멍하고 황망한 채) 내가 지금 여기 왜….

낯선 자신의 모습에 두렵게 주변을 둘러보는 고은의 눈빛.

현재   N, 고은의 집, 안방
생각이 많아지는 고은의 눈빛….

15씬   **N, 보도국, 회의실**
수호, 기자들과 전체 회의를 하면서도 회의에 집중하지 못하고,
자꾸만 휴대폰을 확인하는데.
수호가 보낸 문자들만 보이고.

[수현아, 문자 보면 연락 줘.]
[전화 계속 안 받네.]

그 아래로 또다시 문자 보내는 수호 위로.

[별일 없지?]

그래 놓고는 얼른 다시 회의하는 수호.

16씬   N, 폐차장
선율, 몸과 마음이 바닥을 치는 감정으로 들어오는데
저만치 보이는 드럼통.

플래시백   N, 폐차장 (6화 58씬)
수현과 선율, 그 드럼통 앞에 나란히 앉아, 함께 별 바라보며.

선율   엄마랑 아들이 서로 놓치지 않으려고 꼭 붙잡은 모습이에요….
수현   부럽네… 그래도 함께 있으니까.

현재   N, 폐차장
선율, 순간, 분노와 슬픔이 엉킨 채 북받치며,
그제야, 선율도 수현만큼 폭발하며,
아무 장비나 집어 들어 폐차를 내리치고.

선율   (포효하며) 으아아아아아악!

힘껏 '쾅! 쾅!'
꾹꾹 참았던 감정 터져 나오며 폐차 잔해 속에 털썩 주저앉는 선율.
폐차장 위로, 가득 채우는 선율의 절규에서.

17씬   **N, 수현의 집, 거실**

적막 속, 스탠드 불빛 하나만 켜 있고.

수현… 다 쏟아 냈고 다 토해 낸…

이제 더는 울 수 없다…

아무런 감정도 담지 않은 눈동자로 앉아 있는.

가슴에는 별 스티커가 붙은 태블릿을 건우인 양 품에 꼭 안은 채.

아무런 미동도 없이 그렇게… 밤이 새도록…

(F.O)

18씬   **(F.I) D, 호텔 외경**

19씬   **D, 호텔 연회장**

<한국연합당 조찬 모임> 룸 앞 팻말에 쓰여 있고.

김준, 의원들(5화 23씬)에게 수호를 인사시키고.

김준   인자 우리 강 앵커까지 들어오면 대선은 따 놓은 당상 아입니까.

의원들 한마디씩 거들고.

'강 앵커가 후보님 옆에 있으니 든든합니다.'

'실물이 더 잘 생기셨습니다.'

그들 속에서 수호, 형식적인 미소와 함께.

수호	잘 부탁드리겠습니다.

컷 튀면.

모두 김준에게 인사하고 흩어지는.
수호와 김준만 남은 상태.

김준	참, 은수현 씨는 잘 있습니까.
수호	(갑자기 그 질문에 경계하며) 갑자기 그건 왜?
김준	(비릿한 미소) 연산군이 내시들 목에 신언패라는 걸 걸었는데 거기 뭐라 적혔는지 아십니까.
수호	(보면)
김준	입은 화를 부르는 문이고 혀는 몸을 자르는 칼이다. 자고로 입이 무거워야 한다는 소리지요.
수호	그게 제 와이프와 무슨 상관이죠?
김준	(미소) 강 국장 애처가 아입니까. 와이프 단속 잘 하이소.

20씬	D, 국장실

창가에 선 수호, 김준의 말을 떠올리며 휴대폰 꺼내 보는데.

[수현아, 문자 보면 연락 줘.]
[전화 계속 안 받네.]
[별일 없지?]

수호의 문자들 마지막에 수현이 보낸 짧은 문자.

[괜찮아.]

순간, 떠오르는.

수현 e   혜금 씨가 그날 봤대. 우리 건우가 태블릿을 들고 나간 거…!

수호, 뭔가 불길한….

21씬   **D, 수현의 집, 거실**
밤새 한숨도 못 잔 수현, 천천히 고개 드는데,
충분히 정리한 생각들. 서서히 달라지는 눈빛.
드디어, 자리에서 일어서고.

22씬   **D, 경찰서 앞**
수현, 차분히 올려다보는 눈빛.

23씬   **D, 경찰서 민원실**
고소장 한 장을 꺼내 들고서, 한 글자씩 꾹꾹 눌러쓰는 수현.
우리 건우의 억울한 죽음을 꼭 알리겠다는 심정으로.

24씬   **D, 경찰서 교통과**
그렇게 교통과 앞에 서는 수현.

경찰	무슨 일 땜에 오셨어요.
수현	2015년 강건우 사건의 재수사를 요청합니다.

단단해지는 수현의 눈빛에서.

25씬　　**D, 건우의 묘원**

별 그려진 인형을 들고 걸어오는 발.
건우의 묘원 앞에 천천히 멈추어 서고. 올라가 보면 선율이다.

별 그려진 인형을 액자 옆에 내려놓고…
천천히, 액자 속 환하게 웃고 있는 건우의 얼굴을 보는데…
이렇게 작고 소중한 아이를…
죽어 가면서도 엄마…를 찾았던… 이 아이를…
심장이 떨어져 나가는 듯한….

26씬　　**D, 병원 입구**

긴장된 마음으로 들어가는 고은.

27씬　　**D, 진료실 앞**

가족들과 함께 앉아 있는 환자들…
고은, 그 가운데 혼자 앉아 있는…
매니큐어 발라진 새끼손가락만 만지작 만지작.
그때, 고은 위로, "오고은 환자분" 소리에.

고은	(다잡고) 네.

28씬 **D, 진료실**

고은, 의사 앞에 좀 긴장한 얼굴로 앉아 있는데.

의사	검사 결과, 알츠하이머로 인한 치매입니다.
고은	(예상은 했지만… 멍해지는…)
의사	최근 들어 사례도 자주 들렸고 낮잠도 늘었고 집도 잃어버리셨다고요. 이미 1년 전부터 발병된 것 같아요
고은	(떨리는…) 혹시 진행이 더 빨라질까요?
의사	일단 약물 치료하면서 진행을 늦춰 보시죠.

고은… 더 말을 잇지 못한 채… 주먹 꽉….

29씬 **D, 병원 앞**

나와서는 고은… 잠시 멍하니 바라보는데… 지금 이 순간에도….

고은	우리 수현이 어떡하나….

그제야 올라오는 슬픔으로… 눈물이 나고…
간신히… 터벅터벅 걸어가는 뒷모습에서….

30씬 **N, 건우의 묘원**

어두워진 밤…

선율, 한참의 시간이 흘렀는데도 건우 앞에 앉아 있는…

천천히 돌아보는… 건우의 얼굴…

그러다… 그때 수현이 은민에게 그랬던 것처럼….

선율   (진심을 다해) 내가 약속할게. 너의 엄마, 내가 도울게.

네 엄마가 나한테 그랬던 것처럼.

선율, 그제야 일어나… 자리를 뜨는…

건우 사진 옆에 선율이 갖다 놓은 별 그려진 인형….

31씬   N, 변호사 사무실 외경

32씬   N, 변호사 사무실

수현, 막 이야기를 끝냈고 함께 나서며, 변호사와 악수하고.

수현   잘 부탁드립니다, 쉽지 않은 싸움이 될 겁니다.

변호사   저도 상대가 상대니만큼 각오하고 있습니다.

(문득) 근데, 왜 이제야 고소하세요? 증거물도 있었는데.

그 말에… 수현, 은민을 떠올리고….

수현   증거물이 있다는 걸 저도 최근에야 알았습니다.

어떤 사람이… 죽어 가면서도… 알려 줬거든요….

33씬   **N, 거리**

수현, 그냥 좀 걷고 싶고⋯ 터벅터벅 걷는 위로,
재수사 위해 경찰서도 뛰어갔고, 변호사도 만난 바쁜 하루 끝에⋯
또 생각나는 내 새끼⋯ 우리 건우⋯.

건우 e   생일 축하합니다. 생일 축하합니다~~

수현의 귓가에 들리는 건우의 목소리.

건우 e   사랑하~는 엄마의 생일 축하합니다.

잠시 멈추어 서는 수현. 마음을 또 다잡고.

34씬   **N, 수현의 동네**

수현, 그렇게 걷고 또 걷는⋯
그 건너편에서 이만큼 떨어진 채 수현을 따라 걷는 선율..
지금 수현이 얼마나 고통스러울지 알기에 차마 다가가지도 못한 채.

35씬   **N, 수현의 집 앞**

여전히 수현과 이만큼 떨어져서 따라 걷던 선율. 멈추어 선 채.
주차된 수현의 차 옆을 지나가는 수현의 뒷모습.

수현, 우연히 사이드미러 속, 서 있는 선율을 얼핏 봤고.
묵묵히 그대로 집으로 들어가는 걸⋯

선율, 잠시 먹먹하게 바라보다가 돌아서려는 그 순간.

저만치 수현을 미행하며 감시하는 누군가가 눈에 들어오고.
굳어지는 선율의 눈빛.

컷 튀면.

수현을 조용히 감시하던 미행남,
그 순간 뒤에서 확 잡아채 한쪽 벽에 밀치는 선율.
반항하는 미행남을 저지하며 카메라 확인하는데,
미행하며 찍은 수현의 사진들.
카메라, 벽에다 내려찍고는.

선율 (무섭게) 김준한테 전해. 저 여자 건드리지 말라고.

그렇게 멀어지는 미행남.
선율도 가려고 한 걸음 떼는 순간 지독한 심장 통증.
그동안 받은 스트레스와 고통이 한꺼번에 밀려오며,
가슴을 움켜쥐고 '훅!' 허리 앞으로 숙이는데.

어떻게든 견디려고… 참으려고… 어금니 꽉.
식은땀도 나고… 힘겨운 그 순간, 그 앞에 멈추어 서는 발.
천천히 올려다보는데… 수현이다.

선율 (흠칫)

선율, 이런 모습 보이기 싫어 어떻게든 참으며 몸 일으키는데,
그걸 보는 수현의 마음에도 오만가지 고통이 차오르면서도.

수현 차 갖고 올게, 병원 가자.

선율, 어떻게 이 와중에도 나한테 이렇게 말할 수 있나 싶어서….

선율 지금 나 챙길 때에요… 당신도 힘들잖아….

수현 (보면)

선율 (아프고…) 나도 봤어요… 그 영상.

수현, 흔들리는 눈동자….

선율 (처음으로…) 죄송합니다….

수현 (그 말에… 눈물 차오르고…) 근데 선율아. 네 잘못이 아니잖아.

네 잘못이 아니라는 수현의 모습에 선율도 또 북받치고,
그런 수현을 바라보다가….

선율 (고개 떨구며… 울컥) 죄송합니다….

8년 전… 얼마나 듣고 싶었던 진심 어린 사과였던가…
그 말을 대신 해 주는 선율을 보며….

수현 (감정이 올라오고…) 나는 그때, 그런 선택을 했고, 그게 옳다고 믿었어. 근데 선
율아. 너한테만큼은, 씻을 수 없는 아픔을 줬다.

나도… 미안하다.

수현도… 선율도… 처음으로… 이 지독한 악연의 끝에서…
인간 대 인간으로 사과하고 용서하고…
그런 두 사람의 모습에서…
순간, 온 세상… 주변 모든 것들이 다 사라지고….

36씬   **(환상) 법정 안**
오직 흔들림 없이 똑바로 정면을 응시하던 수현….

수현   선처, 바라지 않습니다.

그러다… 천천히 고개 들어 방청석 쪽 바라보면…
충격받은 채 앉아 있던 수호도… 고은도… 유리도…
모두 연기처럼 사라지고.
그렇게 하나둘 사람들 사라지고 나면…

방청석에 앉아 있는 오직, 단 한 사람…
선율이다….

서로를 바라보는 수현과 선율.
(적대감과 증오심이 아닌…)

수현의 눈에도 차오르는 여러 감정들…
선율의 눈에서도… 툭… 하고 떨어지는 눈물…

상처로 얽혀 있던… 아픈 두 영혼에서….

(F.O)

37씬   (다음 날) D, 방송국 외경

38씬   D, 국장실
            수호, 출근해서 막 자리 앉으려는데 노크와 함께 후배 기자, 급하게 들어오고.

후배   (다급) 저 국장님, 김준을 고소한다는 기자 회견이 열린다는데요?
수호   (이게 무슨 소린가 싶은) 누가?
후배   (난감) 그게….

            후배를 바라보는 수호의 눈빛.

            컷 튀면.

            창가에 서서 통화하는 수호, 그 위로.

김준 e   강 국장, 내 위해서 뭐 하나 갖다줘야겠다.

            그걸 듣는 수호의 흔들리는 눈빛.

39씬   D, 기자 회견장
            기자들, 기다리며 꽉 차 있는.

40씬	D, 기자 회견장 복도

수현, 변호사와 함께 담담하게 걸어오는.

드디어 회견장 문 앞.
변호사가 열어 주는 문으로 들어가는 동시에.

41씬	D, 기자 회견장

쉴 새 없이 터지는 플래시.
그 앞으로 들어서며 손 흔드는 사람, 김준이고.

42씬	D, 수현의 기자 회견장

텅 빈 공간에 정진희 기자를 포함, 달랑 3명의 기자만이 노트북 앞에 두고.
정진희 기자도 난감한 눈빛으로 수현을 바라보며 목례하고.

변호사   (역시나 난감해서) 모든 언론사에 공문 다 띄웠는데.

당황한 그들과는 달리, 수현은 담담히 그 앞에 앉고는.

수현   (아랑곳하지 않고) 제 얘기를 들어 주시기 위해 귀한 시간 내주셔서 감사합니다,
기자님들.

43씬	D, 수현의 집, 서재 / 건우의 방

다급하게 뭔가를 찾는 수호. 그러다 눈빛 번쩍.

44씬　　　**D, 수현의 집, 부부의 방**

수호, 옷장 안, 금고 비번을 누르는데,

3번 정도 틀리고,

그러다 4번째 드디어 띠리릭.

열면, 들어 있는 건우의 태블릿.

복잡한 심정으로 바라보는 수호의 눈빛.

45씬　　　**D, 김준의 기자 회견장**

기자들, 다 끝나고 하나둘씩 빠져나가는데.

기자 1　　(후배 기자에게) 근데, 오늘 은수현 쪽으로 간다고 하지 않았어?

후배　　　말도 마. 국장이 가지 말래. (절레절레) 완전 김준 따까리. 지 가족 일인데도 저러냐.

기자 3　　(저만치 인사 받으며 나가는 김준을 보며) 근데 그거 팩트 맞아?

기자 4　　관심 꺼. 그 기사 한 줄이라도 나가는 언론사는 명예훼손 고소한다잖아. 곧 대통령 될 사람한테 찍히면 골치 아파.

46씬　　　**D, 기자 회견장, 주차장**

수현, 휴대폰으로 검색하는데, 자신의 기자 회견 인터뷰는 하나도 없고, 김준 지지율 상승 기사만.

그때, 변호사 달려와서는.

변호사　　김준 쪽에서 막은 거 맞아요.

언론사에 김준 캠프에서 공문이 갔더라고요.

수현	(동요하지 않는) 이런 식으로 반응하는 걸 보니, 김준도 심리적으로 제가 압박이 됐나 보죠.
변호사	점점 더 심해질 거 같은데요.
수현	상관없어요. 그래도 알려 줄 거예요. 엄마가 건우를 위해서 싸우고 있다고.

47씬　　**N, 수현의 집, 부부의 방**

수현, 막 들어서는데 열려 있는 금고 문.

건우의 태블릿은 사라졌고.

수현, 굳어지는 눈동자.

48씬　　**N, 의원실**

김준, 수호가 갖다준 건우의 태블릿, 책상에 내려놓고.

(뒷면은 안 보이는)

비서관	원본인 거 확인했습니다.

김준, 바닥에 던지는 태블릿.

골프채 뽑아 들더니 온 힘을 다해 깨부수고.

어금니 꽉 깨문 채 아프게 바라보는 수호의 눈동자.

김준	(골프채 한쪽에 던져 놓고 숨 고르고는) 강수호 덕분에 와이프 살았네.

그때, 울리는 수호의 휴대폰.

김준	(미소) 가 보이소. 없어진 거 알고 찾는 갑다.
수호	(눈빛 굳어지는…)

49씬　　N, 수현의 집, 거실

소파에 굳은 채 앉아 있는 수현.

현관 열리고 들어서는 수호.

그렇게 마주 앉는 두 사람.

수현	(서늘하게 바라보다가…) 당신이 가져갔어?
수호	(속은 어떨지언정 마음 독하게 먹고는) 어.
수현	(서서히 굳어 가는…)
수호	당신, 김준 고소한 것도 철회해.
	기자 회견이든 인터뷰든 기사 한 줄 안 나갈 거야.
	혹시라도 방송 출연할 생각도 하지 마. 아무것도 하지 마.

수현, 그런 수호를 경멸하는 눈빛으로 보다가.

수현	우리 건우가 어떻게 죽었는 줄 알아?
수호	(시선 피하는…)
수현	(서늘) 내 새끼가 죽어 가면서 마지막까지 나를 찾았어.
	우리 건우는! 사고였어야 했어. 그러면 안 되는 거였어.
	그렇게 만든 김준을 당신은 용서할 수 있어?
	다른 일에는 그토록 정의를 찾던 강수호 맞아?
수호	(O.L) 정말 정의가 있다면 우리 건우 같은 애들이 없었어야지.
수현	(서늘한 눈빛)

수호	이미 떠난 건우보다 나는 네가 더 중요해. 내가 나쁜 아빠할게. 내가 지옥 가서 벌 받을게! 다 덮고 너나 잘 살아.
수현	(실망감을 넘어서고…) 건우 죽인 사람이 대통령이 된 세상에서 사는 일은 없을 거야.

그렇게 먼저 일어나는 수현.
수호, 정말로 수현이 잘못될 거 같아 두렵고.

50씬　　　　**서재**

수현, 깊은 생각에 잠기는.

수현 e	계속 이렇게 나를 막는다면, 절대로 나를 건드릴 수 없는 방법. 그게 뭘까.

잠시 생각하던 수현, 서서히 고개 들고.
저만치 바라보는 곳, 책꽂이에 꽂혀 있는 책들 중,
'시절 인연' (c.u)
그걸 보며 해답을 찾은 듯한 수현의 눈빛에서.

51씬　　　　**(다음 날) D, 병원 (몽타주)**

수진 e	선율아, 나 지금 준성 재단 피해자들 만나러 가.

수진, 이 병원 저 병원 다니며 사람들 만나고 다니고. (cut)

수진, '(애원하며) 제발 부탁드려요.'

'(소아 병동의 보호자) 엮이기 싫어요.' (cut)

52씬　　　**D, 크롬쎈 / 고시원 (몽타주)**

용구도 여기 저기 발로 뛰고. (cut)

용구, '(회사원 붙잡고) 예전에 준성 재단에서 일 하셨죠?' (cut)

'(크롬쎈 술집 여자) 나 말 못해요.' (cut)

53씬　　　**D, 터프팅 공방**

수진과 용구가 데려온 몇몇 사람들, 서로 눈치 보며 앉아 있고.

여자 1　　저희 준성 재단에서 해코지당하는 거 아니겠죠?

수진　　제발 용기를 내주세요.

남자 1　　(도무지 안 되겠어서 일어나더니) 전 안 되겠어요. 김준 낼모레 대통령 될 건데.

그 말에 다른 사람들도 하나둘 동조하며 우르르 일어나려는데.

선율 e　　김준, 무섭죠.

나가려는 사람들, 돌아보면, 한쪽 구석에 조용히 앉아 있던 선율,

그제야 천천히 일어나 둘러보다가….

선율　　(진심으로) 솔직히 저도 그래요.

제 아버진 저 살리려고 김준이 시키는 대로 어린아이를 죽였어요.
아직 살아 있던 아이를.

사람들 다들 놀라고, 수진과 용구, 충격이고.

선율 엄만… 그 사실을 알고 있어서 김준한테 죽임을 당했고요.
이젠 저도 알았으니 어떻게 될지 모르겠어요.

수진, 입 틀어막고. 용구도 눈빛 흔들리고.
사람들도 다 놀란 채 바라보는데….

선율 근데… 전 죽을 땐 죽더라도 부딪혀 보려고요.
(수현을 생각하며) 저 대신 죽은 한 아이를 위해서… 그 엄마를 위해서… 더는
부끄럽고 싶지 않아요. 그래도 여기까지 와 주신 분들은 저랑 같은 이유일
거라고 생각합니다.
(허리 숙이고) 진심으로 부탁드립니다.

투박하지만 진심을 전하며 허리 숙이는 선율의 모습에…
수진도 용구도 남은 사람들도 흔들리는 눈빛.

컷 튀면.

선율, 사람들이 놓고 간 고소장과 진술서들 봉투에 집어넣는 걸,
수진, 울컥하는 마음으로 바라보다가….

수진 (눈물 그렁) 너는! 그런 일이 있었으면 진작에 얘기했어야지.

왜 맨날 너 혼자 아파하고 너 혼자 힘들어 해? 우리 친구 아니냐?

선율 미안하게 됐다….

용구 야, 근데 너 아까 대단하더라. 어떻게 그런 어려운 얘기를 다 했냐.

선율 그 여자한테 배웠어. 진심으로 다가가는 거.

수진 (그런 선율을 보다가…) 그래서 이제 어떻게 할 건데.

선율, 그 말에 수진과 용구를 잠시 번갈아 보다가.

선율 수진아, 형. 나, 새로운 목표가 생겼어.

54씬   **N, 고은의 집 앞**

막 차에서 내리는 수현. 고은 주려고 먹을 것들 사 들고.

55씬   **N, 고은의 집, 거실**

수현 엄마.

수현, 들어서는데, 평상시 깔끔했던 거실과는 다르게 엉망인.
나뒹구는 쿠션을 집어 제자리로 치우며,
주방 쪽 보는데 잔뜩 어지럽혀 있는.

cut to   고은의 방
들어서는 수현 눈에 역시나 서랍이며 장롱이며 열려 있고.
뭐야… 뭔가 느낌이 이상한…

얼른 전화 거는데, 전화도 받지 않는 고은.

56씬   **N, 고은의 동네**

수현, 고은을 찾아 슈퍼에도 가보고, 동네 여기저기 둘러봐도,

어디에도 안 보이는 고은.

다시 고은에게 전화 걸려는 순간 멈칫.

수현의 눈에 저기 뭔가 떨어져 있는 게 보이고.

천천히 다가가 주워 드는데…

고은이 맨날 신고 다니던 것과 같은 신발 한 짝이….

순간, 그 위로 겹쳐 보이는 건우의 신발. (1화 21씬 건우 운동화)

'훅!' 하고 공포감이 몰려오며 얼어붙는. 그제야!

수현   (두려움에 둘러보며…) 엄마… (악쓰며) 엄마!

57씬   **N, 놀이터**

수현, 고은을 찾아 정신없이 뛰어다니가…

점점 멈추어 서는 발걸음.

저만치….

놀이터 구석에 쪼그리고 앉아 있는 고은.

그 모습에 수현… 온몸의 힘이 쫙 빠져나가는 듯한…

수현, 고은의 앞에 가만히 쪼그려 앉고는….

수현   엄마… 여기서 뭐해….

고은, 그제야 수현을 멍하니 바라보다가….

고은   수현아….
수현   (?)
고은   건우가 없어졌어….

그 소리에 수현의 심장 '쿵!' 내려앉고.

수현   (멍해지는…) 엄…마….
고은   내가 잠깐 한눈판 사이에 애가 없어졌어어….

수현, 그런 고은의 모습에… 온 세상이 와르르 무너지는 듯한….

수현   (허나…) 엄마, 건우… (삼키며…) … 잘 있어.

그러다… 고은의 벗겨진 발을 보다가…
들고 있던 신발을 잘 신겨 주고는….

수현   집에 가자. 엄마.

수현, 고은을 업고. (cut)

엄마를 업고 꿋꿋하게 걸어가는 수현의 모습에서….

58씬　　　**깊은 밤, 고은의 방**

막 샤워시키고 나온 듯한 고은의 손에 핸드크림 발라 주는 수현….

고은　　　미안해….

수현　　　뭐가 미안해….

컷 튀면.

달빛 아래… 잠든 고은 곁을 지키고 앉아 있는 수현.

어떻게든 정신 차리려…

그러면서도 자꾸만… 무너질 것 같은… 수현의 눈빛.

(시간 경과)

잠든 수현의 머리맡에서 쓰다듬는 고은….

고은　　　(먹먹한…) 내 새끼 많이 놀랐겠다….

59씬　　　**D, 고온의 집 외경**

밝아 오는 아침 위로 칼질 소리와 함께.

고은 e　　　수현아 밥 먹자~

60씬	D, 주방

아무렇지 않게 같이 식사하는 수현과 고은.

각자 먹먹한 마음 숨긴 채.

고은	수현아, 엄마 당분간 시골 동생 집에 가 있으려고.
수현	엄마,
고은	(수현의 말 막아서며) 물 좋고 공기 좋은 데 가서 좀 쉬고 싶어.
	그렇게 할게.

다시금 밥 먹는 고은을 먹먹하게 바라보는 수현….

60씬	(다른 날) D, 고은의 집 앞

트렁크에 고은의 짐을 묵묵히 싣는 수현.

차에 태운 고은에게 안전 벨트 해 주며… 그 위로.

수현 e	엄마, 나 해야 할 일이 있어.
	엄마 위해서. 우리 건우 위해서. 내가 꼭 잘 해낼게.
	나 엄마 딸이잖아.

그렇게 출발하는 차, 점점 멀어지며….

cut to 동

점점 멀어지는 수현의 차를 아프게 바라보는 유리의 얼굴.

차마 다가가지도 못한 채….

(F.O)

62씬	(F.I) D, 한국대 병원 일각

수진, 걸어오는데, 저기 걸어가는 태호를 봤고.

그냥 돌아서 가려는데… 아무래도 안 되겠고.

수진	(한숨) 그래. 지금이라도 털어놓자.

63씬	한국대 병원, 식당

그렇게, 식사하는 태호 앞에 앉는 수진.

수진	오랜…만이에요.
태호	(그런 수진을 좀 굳은 채 바라보고…)
수진	(고개 숙이고) 실은, 나 태호 씨한테 할 얘기가.
태호	왜요? 이번엔 또 뭐가 궁금해요? 우리 형수님? 아님 우리 형?
수진	(!)
태호	지금은 좀 바빠서요, 나중에 연락해요. (가려는데)
수진	(속상한 마음에 어깃장) 태호 씨 바보예요? 나 누군지 알잖아! 나 일부러 접근했
	다고! 근데도 왜 연락하래?
태호	그래요, 나 수진 씨 누군지 알아요. 나한테 왜 접근했는지도.
	근데, 내가 이용 당해주겠다잖아. 내가 (속상하지만) 해 준다고요.

그렇게 자리 뜨는 태호를 바라보는 수진.

저 순수한 사람 마음 갖고 내가 무슨 짓을 했나…

찡하고 미안하고 또 죄책감으로… 그렇게 바라보는 수진의 눈빛.

D, 레스토랑

최주석 의원, 아내와 자식과 함께 식사 중인.
그때, 그 옆으로 쓰윽 다가오는 누군가. 선율이고.

선율   최주석 의원님 맞죠? (사진 내밀며) 저 사인 좀.

       최주석 으쓱하며 받아 드는 것, 마약 파티 사진이다.
       가족들 의식하며 얼어붙는 눈동자.
       선율 무심하게 쳐다보면,
       최주석, 긴장한 채 떨리는 손으로 사인해 주고.

65씬   D, 레스토랑 화장실

여유 있게 기다리는 선율 앞에 최주석, 주변 살피며 들어오자마자 멱살 잡고.

최주석   너 이 새끼. 너지? 그 사진 찍은 놈! 내가 아주 끝장을!

       그 위로 선율, 녹음 틀어 주는데.

김준 e   이 사진들 잘 갖고 있다가 대통령 되면 최주석부터 터트려.

       놀라는 최주석을 향해.

선율   김준이 대통령 되면 당신부터 끝장이야. 어떡할래?

66씬 　　D, 출판사 앞

수현, 막 출판사에서 나오는데, 울리는 휴대폰.

수현　　네 변호사님.

변호사 e　　재수사 진행이 전혀 안 되고 있어서 정식으로 항의하려고요.

　　　　아무래도 시간을 끄는 거 같아요.

수현　　안 그래도 그동안 저도 따로 준비하고 있는 게 있어요.

컷 튀면.

수현, 차로 걸어오는데, 문자 수신음.

선율 e　　할 얘기 있어요.

잠시 바라보는 수현의 눈빛에서.

67씬 　　N, 카페

수현과 선율, 마주 앉은…

선율, 수현 앞에 서류 봉투를 내밀고.

선율　　이거.

뭔가 싶어 받아 드는 수현 위로.

선율　　준성 재단 피해자들 고소장이랑 진술서예요.

(담담함 속에 진심을 담아) 도움, 될 거 같아서.

수현   (선율을 바라보면)

선율   (애써 시선 회피하며⋯) 그거 알아요? 그쪽은 항상 내 예상을 빗나갔던 거.

수현   (보면⋯)

선율   최악의 상황에서도 늘 옳은 길을 찾아내더라고요.

        (진심으로⋯) 당신은 잘 해낼 거예요. 당신답게.

그렇게 일어나려는데.

수현   선율아.

선율   (보면⋯)

수현   (같이 뛰어 주는 선율이 고마우면서도⋯) 네가 다치지 않았으면 좋겠다.

선율, 그 마음이 진심인지 알기에 수현을 바라보다가⋯.

선율   (고마우면서도⋯) 제가 해야 할 일이잖아요. 이제야 진짜 할 일이 생겼으니 끝까

        지 해 봐야죠.

그렇게 서로를 걱정하는 마음과 유일한 내 편이라는 든든함으로⋯
서로를 바라보는 두 사람의 모습에서⋯.

68씬   **N, 수호의 레지던스 앞**

              수호, 문 여는데 서 있는 사람, 명희다.

              cut to   레지던스

들어서는 명희, 휘 둘러보는데 마음이 무겁고.

명희	여기서 지내는 거니.
수호	(크음…) 무슨 일이세요.
명희	(앉고는) 수현이가 지 엄마 얘기 안 해?
수호	(갸웃, 마주 앉고) 무슨 얘기요?
명희	네 장모… (힘들고) 치매란다. 태호가 병원에서 봤대.
수호	(쿵!)
명희	혹시나 해서 식당에도 가 봤는데 식당 내놨더라. 집에도 없고.
수호	(너무 놀라 아무 말도 못 하는…)
명희	너도 몰랐나 보네. (마음 안 좋고) 하긴, 어떻게 정신을 안 놓을 수가 있었겠어.
	손주만 잃은 나도 제정신으로 살기 힘들었는데…
	그런 사람한테 찾아가서 내가… 너 좀 봐달라고 읍소했으니….

명희, 마음 안 좋고… 수호도 더 듣기가 힘들고….

명희	너랑 수현이 그렇게 됐어도 네 장모 모른 척하면 안 된다.
	너 그럼, 사람 아냐. 나 그렇게 안 키웠어. 네가 끝까지 챙겨.

명희, 힘든 마음으로 일어나고….

명희	그 말 하려고 왔어. 그만 가마.

수호, 그렇게 명희를 배웅하고…
그제야 털썩 소파에 앉는데… 양 주먹 꽉 움켜쥐는…
지금은 나는 울 자격도 없기에… 내색하지도 못한 채 꾹꾹 참는 슬픔.

69씬	N, 수현의 집, 건우의 방

수현, 들어와 천천히 둘러보는 눈빛.

선율 e	당신은 잘 해낼 거예요. 당신답게.

그 말에 응답하듯.

수현	건우야… 엄마 잘할게. 우리 건우 위해서.
	(F.O)

70씬	(F.I) D, 수현의 집, 부부의 방

거울 앞에 앉는 수현.
참 오랜만에 화장도 해 보고 립스틱도 바르고.
그 예전처럼 세련되게 차려입고, 거울 속 자신의 모습을 보며 다잡는.
그 위로.

71씬	D, 거리 전광판 / 지하철 역 앞 / 뉴스 화면 / 캠프 내부 (몽타주)

김준이 서민들과 악수하며 인사하는 모습. (cut)
전철역, 출퇴근 중인 사람들과 반갑게 인사하고. (cut)
김준 사진 들고 눈물 흘리는 열성 지지자들. (cut)
자원봉사자들이 끊임없이 들어오고. (cut)
김준의 지지율이 또 상승했다는 뉴스 속,
지지자들, "어차피 대통령은 김준 아니에요?" (cut)

교차 되며.

저벅저벅 걸어가는 발소리와 함께.

72씬   **D, 대형 서점 (1화와 같은)**
걸어오는 수현의 발걸음 위로.

수현 e   계속 이렇게 나를 막는다면, 절대로 나를 건드릴 수 없는 방법.

INS   *가판대 위, 재판된 '시절 인연' 책들 주루룩 깔리고.*

한 걸음 한 걸음 걸어오는 수현, 담담하려 애쓰지만 긴장되는.

수현   (출판사 대표에게) 사람들이 절 잊지 않았을까요.

그렇게, 드디어 도착해 고개 드는데.

그 공간을 꽉 채운 사람들의 함성.
작가 은수현의 복귀를 보러 온 기자들에 외신들까지.
수현, 그 모습에 북받치면서도 단단한 마음으로 단상 위를 오르는데.

핀 조명 떨어지는 무대 위로 올라서는 수현. 그 뒤로.

<은수현 작가 '시절 인연' 재판 기념 작가와의 만남>
<로잘린 상 수상 작가 은수현. 8년 만의 복귀>

현수막 좌르륵 떨어지고.

맨 뒤에서 수현의 모습을 바라보는 유리… 그 위로.

73씬   **(플래시백) N, 청담 숍, 대표실**
유리, 혼자 일하는 중에 휴대폰 알림음.
무심결에 확인하는데 눈 커지고.
<은수현 작가님 팬카페 새로운 공지 사항>

유리   (벌떡 일어나서) 허!

컷 튀면.

유리   (벅찬 마음으로) 안녕하세요 대표님. 저 예전에 은수현 작가님 매니저였던 한유
            리예요. 지금 이거 공지 사항 봤는데요. (cut)

컷 튀면.

유리, 팬카페에 올라온 공지 사항 보며.

유리   (통화) 운영자님. 현재까지 준비된 거 뭐죠? 더 필요한 부분은 제가 준비할게
            요. 언론사 쪽으로도 제가 연락할 수 있어요.

수현을 위해서라면 뭐든 다 하려는 유리의 모습에서.

현재

(O.L) 유리, 무대 위에 수현을 벅차게 바라보고…

무대 위, 함성을 들으며 선 수현의 눈빛 위로.

e   오토바이 엔진음 커지며.

74씬   **D, 도로**

달리는 선율의 오토바이.

선율 e   만약 당신이 실패하면 그땐 내가 김준, 죽여 줄게요.

75씬   **D, 대형 서점**

무대 위, 수현을 향해 쏟아지는 질문들.

기자 1   일련의 사건들로 다시 복귀하지 않을 거란 여론이 많았는데요.

이렇게 모두가 기다리던 소식을 예고 없이 발표하신 이유가 있습니까?

수현   모든 건 그에 맞는 때가 있는 것 같습니다. 그게 저는 지금입니다.

외신 기자   이번 신작은 어떤 내용인가요? (영어)

수현   저의 이번 신작은 철저하게 실화를 바탕으로 쓰여질 예정입니다. (영어)

기자 2   실화라면 어떤 사건을 모티브로 하신 건가요?

수현, 천천히 둘러보다가.

수현   제 아들 건우 사고의 숨겨진 진실에 대한 이야기입니다.

수현의 발언에 장내 일순 조용해졌다가 이내 웅성대는.
뒤에서 지켜보던 유리도 수현의 말에 놀라고.

기자 3   실례지만 그 사고는 이미 종결됐는데 무슨 숨겨진 진실이요?

기자 3의 말에 몇몇 기자들 서로 눈치 주고받고, 그 순간.

수현   그날, 제 아들 사고에 또 다른 범인이 있었습니다.
그는 자신의 욕망을 위해 살아 있는 제 아들을 죽였습니다.

수현의 발언에 시끄러워지는 장내.
걷잡을 수 없는 분위기에 사회자가 나서려는 순간.

기자 4   (벌떡 일어나) 그 사람이 누굽니까?
수현   여기 계신 여러분들, 아니 전 국민이 아는 사람입니다.
(똑바로 보며) 바로, 가장 유력한 대통령 후보, 김준입니다.

그 순간, 수현을 향해 미친 듯이 쏟아지는 플래시 세례와 기자들이 외치는 쏟
아지는 질문들.
김준, 네가 아무리 나를 막아도 절대 건드릴 수 없는 바로 여기!
그렇게 수현의 영역 안에서 모두 주목한 가운데,
그 속에 전혀 흔들림 없는 수현의 눈빛.

VS.

76씬	D, 옥상

선율, 김준의 멱살을 잡고 난간으로 밀치며.

선율	더는 그 여자 건드리지 마!
김준	(목 졸린 채로) 야야, 이러다 떨어진다. 니 애비 죽인 년하고 뭐하노!
선율	(핏발 선) 우리, 오늘 여기서 같이 가는 거야.

'쿵!' 하고 떨어지는 소리.

vs.

수현을 향해 카메라 플래시 쏟아지며.

13화 엔딩

WONDERFUL WORLD

원더풀 월드

- 14화 -

저,
끝까지 갈
겁니다

1씬	**D, 대형 서점 (13화 엔딩 장소)**

수현, 플래시 세례를 받으며, 통로를 따라 내려오고.
주변으로 몰려든 기자들, 사방에서 질문 쏟아 내고.

'강건우 군을 차로 친 게 정말 김준 맞습니까.'
'은수현 씨, 지금 심정이 어떻습니까.'

수현, 흔들림 없이 걸어가는 옆으로, 어느새 변호사, 같이 걸어가며.

변호사	방금 경찰서에서 고소인 조사받으러 오라고 연락 왔습니다.
	본격적으로 수사 진행하겠대요.

수현, '드디어 이제 시작됐구나.'
더욱 꼿꼿한 눈빛으로 걸어 나가는 수현의 뒷모습을.

유리, 저만치서 진심으로 소리 없이 응원해 주는 눈빛.

2씬   D, 경찰서, 조사실
        엄숙한 분위기 속, 수현, 형사와 마주 앉았고.

형사   지금부터 고소인 조사 시작하겠습니다. (cut)
        은수현 씨, 이거 원본 파일입니까? (cut)
        김준을 고소하게 된 이유가 뭡니까. (cut)

        수현, 흔들림 없이 쳐다보는 눈빛에서.

        화면 빠지면.

        cut to   경찰서 입구
        엄숙한 조사실 분위기와는 달리, 경찰들과 기자들 대치한 아수라장.

        '현재 진행 상황은 어떻게 되고 있습니까!'
        '사실 여부만 확인해 주세요!'
        '지금 수사 진행 중이니까 돌아가세요!'

3씬   D, 보도국 복도
        바삐 걷는 수호 옆으로 후배 기자들, 달려와.

기자1   (다급) 은수현 씨, 지금 고소인 조사받고 있답니다, (수호 눈치 보며) 저희도… 보
        도해야 하지 않을까요?
수호   (매섭게) 그러다 김준 대통령 되면? 뒷감당할 자신 있어?
기자2   그래도.

수호	(O.L) 섣부르게 행동하지 마. (차갑게 가 버리는)
기자1	(헉!) 언론인으로서 사명감을 갖자더니.
기자2	김준 캠프 들어간다는 소문 진짠가 봐.

그런 후배들을 뒤로 한 채 어금니 꽉 깨물고 걸어가는 수호.

4씬　　　**D, 은밀한 공간, 룸**

선율 앞으로 착석하는 사람들.
최주석과 손현민을 포함, 6인의 정치인들.
정치인들, 서로서로 언짢은 눈빛으로 시선 교환하는.

선율	저, 누군지 아시죠. 최 의원님한테 들었겠지만, 당신들 약점 잡아서 김준 대통령 후보로 만든 게 접니다. 최 의원님 마약, 손 의원님 재단 비리, 백 의원님 아들 병역 비리, 다 제가 김준 손에 쥐어 줬습니다.
의원들	(몇몇은 이미 최주석한테 듣고 왔어도 벌떡 일어나며) 저 이씨!
선율	(아랑곳 않고) 그거, 아직 김준 손에 고스란히 있습니다.
	김준이 대통령 되면 당신들, 평생 그 밑에서 개처럼 살아야 하는데.
백 의원	하고 싶은 말이 뭐야!
선율	대통령 후보로 만든 것도 나니까 끌어내리는 것도 내가 해 보려고요.
	나랑 생각이 같다면, 김준을 끌어내릴 기회는 지금뿐이에요.
	선택해요.

그제야, 6인의 정치인들, 서로 눈치 보며 심각해지는 표정.
그걸 바라보는 선율의 눈빛 위로.

김준 e   존경하는 국민 여러분!

5씬   D, 거리

김준, 응원하는 지지자들을 향해 목이 쉬도록 외쳐 대고.

김준   최근 근거 없이 저를 비방하는 유언비어가 떠돕니다! 뿌리 깊은 나무는 한낱
         지나가는 바람에 흔들리지 않는 법입니다! 저, 김준은 음해와 거짓에 지지
         않겠습니다! 끝까지 국민을 지키겠습니다!

일제히   (와아!! 터지는 함성!)

         더 큰 함성 속 김준, 유권자들과 악수하고 포옹하고.
         그때, 한쪽에서 전화 끊은 비서관, 황급히 김준에게로 다가와.

비서관   (다급, 귓속말) 서장한테 연락이 왔는데 조사받으러 나오셔야 할 거 같답니다.

         순간, 미세하게 흔들리는 김준의 눈빛.
         이내 곧 언제 그랬냐는 듯, 더 활기차게 유권자들과 악수하고 포옹하는… 그
         위로.

e   따귀 때리는 소리!

6씬   N, 비상상황실

비서관, 뺨 부여잡고 바닥에 넘어진 채.

김준	(무섭게 소리 지르며) 이렇게 될 때까지 니 뭐 했노?!
비서관	(벌떡 일어나며) 죄송합니다! 사회 정치부 쪽은 다 조치를 해 놨는데, 은수현이 신간 홍보를 이용해 의원님을 공격할 줄은.
김준	(손 확 올리고)
비서관	(눈 질끈)
김준	(씨! 꾹 참고) 당에선 뭐라 카드나?!
비서관	몇몇 의원들 움직임이 좀 심상치 않아 파악 중입니다.
김준	도대체 누가?
비서	근데 하나같이 권선율이 작업했던 의원들입니다.
김준	(그제야 선율이구나… 서늘해지는 눈빛 위로)
비서관	(진땀) 일단 은수현을 명예훼손으로 맞고소하고, 경찰 출석은 거부하겠습니다.
김준	(O.L) 니는! 그래 안 되는 기다.

김준, 수현을 떠올리며 가늘어지는 눈빛으로….

김준	출석, 한다 케라. 싸움은, 안 싸우고 이기는 게 가장 좋은 방법이다. 직접 공격하지 않고도 성을 함락시킬 방법, 우리한테 안 있나?

뭔가 꿍꿍이로 매서워지는 김준의 눈빛.

컷 튀면.

비상상황실 안에 들어 있는 지웅의 내부 문서들 중,
권지웅 통화 내역. (c.u)

7씬	N, 조사실

수현, 긴 조사를 마치고 일어나는 위로.

형사	긴 시간 고생하셨습니다.

수현도 인사하고 나서는.

8씬	N, 수현의 집 앞

수현의 차, 멈추어 서고.
수현, 시동 끄는데 그제야, '탁…' 하고 긴장 풀리며 의자에 기대는…
참 길고도 힘든 하루였다… 그때, '띠링' 선율이 보낸 문자 수신음.

수현의 영상(13화 엔딩) 아래 댓글들 캡처한 화면.

은수현 씨 좋은 엄마예요.
끝까지 힘내세요.
은수현 씨 용기 응원합니다.

수현, 잠시 바라보다가….

9씬	N, 선율의 원룸

선율의 휴대폰, 파란색 점 왔다 갔다… (수현이 문자 보내는 중)
바라보는 선율의 눈빛 위로 도착한 수현의 문자.

[고맙다….]

선율, 담담하게 바라보다가… 그저… 창밖 너머 시선 주고….
다시금 힘을 내 집으로 들어가는… 수현의 모습과 교차되며….
(F.O)

| 10씬 | D, 경찰서 앞 |

멈춰 선 세단에서 출석한 김준이 내림과 동시에,
미친 듯이 터지는 기자들의 플래시.
가이드 라인 앞에 선 김준.

기자1   은수현 씨가 후보님을 고소한 사실에 대해 어떻게 생각하십니까!

김준   (따뜻한 미소로) 저, 여러분께 부탁 좀 드리겠습니다.
          우에됐든, 사고로 가족을 잃은, 힘든 분입니다.
          저를 비방해가 그분의 슬픔이 조금이라도 덜어진다면 저는 괜찮습니다. 은
          수현 씨도 제가 지켜야 할 소중한 제 국민 아닙니까. 그러니 은수현 씨에 대
          한 비방을 멈추어 주십시오.

기자2   은수현 씨가 아들 교통사고 공범으로 후보님을 지목했는데요?

김준   (좀 어렵지만…) 그거에 대해선 꼭 좀 오해를 풀고 싶네요.
          실은, 저한테 권지웅 가족으로부터 받은 녹음 파일이 있습니다.
          이걸 공개해야 하나 말아야 하나 고민이 많았지만 진실을 알려 드려야 할 거
          같아서 들려드리겠습니다.

비서관, 얼른, 기자들을 향해서 준비해 온 녹음 파일을 들려주는데.

'사과해, 한 사람의 인생을 송두리째 망쳤으면, 똑바로 사과하라고!'

기자들, 웅성, 웅성. "은수현 아니야?"

'고만합시다? 상대해 주는 건 여기까지니까.'
'사과해!'
'에이 쌍! 진짜!'
'야, 너 내가 얽힌 사업이 몇 갠 줄 알아?'
'네 새끼 땜에 삑난 계약이 몇 갠 줄 아냐고?!'
'뒈져도 왜 하필 내 차에 뒈져 가지고!!'

지웅의 목소리에 기자들 웅성대고.
비서관이 들려주던 녹음이 끝나자.

김준 그날 은수현 씨가 권지웅을 죽이기 직전에 두 사람이 나눈 대화입니다. 들으셨다시피 은수현 씨 아를 친 건 권지웅이가 맞습니다.
저는, 권지웅과 그날 단지 술을 마셨을 뿐입니다.

11씬 **D, 선율의 원룸**
    TV 화면 속, 김준을 분노로 쏘아보는 선율의 요동치는 눈동자.

    TV 화면 속

김준 내한테 애를 쳤다고 전화가 왔길래 빨리 병원으로 데려가고 자수하라 켔십니다. 아이를 유기하고 방치한 부분에 대해서는 저도 인간의 탈을 쓰고 절대해서는 안 될 일이라 생각합니다.

선율, 분노 치밀며 꽉 움켜쥐는 양 주먹.
그 옆에서.

수진   (인터넷 확인하면서) 어떡하냐, 여론이 완전 뒤집혔어!
용구   (역시 댓글들 확인하며) 댓글들도 다 김준 옹호하는 거뿐이야.

선율, 이대로는 안 되겠다 싶고.
서늘해지는 눈빛으로 드디어 결심한 듯 그대로 뛰쳐나가고.

수진/용구   선율아! / 어디가?!

12씬   **D, 도로**
달리는 선율의 오토바이.

선율 e   만약 당신이 실패하면 그땐 내가 김준, 죽여 줄게요. (13화 74씬)

김준을 처단하기 위해선 뭐든 하겠다는 강렬한 눈빛에서.

13씬   **D, 수현의 집, 거실**
수현, 변호사와 통화 중인 굳은 눈빛. 그 위로.

변호사 e   지금 김준 쪽 지지자들이 은수현 씨에 대한 감정이 너무 안 좋아요.

상대 당이랑 짜고 김준 이미지에 스크래치 내려 한 거라고.

수현   (…)

변호사 e   당분간은 자중하는 게 좋을 거 같아요. 신변이 위험할 수도.

수현   (O.L) 아뇨. (흔들림 없는) 전, 그래도 끝까지 갈 겁니다.

cut to   시간 경과

한참을 그대로 미동도 없이 서 있는 수현.

수현 e   이제, 내가 할 수 있는 일은 무엇일까.

생각하는 수현의 눈빛 위로….

수현 e   아무 방법도 없을 때 선택할 수 있는 한 가지는,

창문에 비친 자신의 모습을 똑바로 응시하는… 위로.

수현 e   용기를 갖는 일.

떨리지만 각오와 함께 결심하는 수현의 눈빛.

14씬   **D, 광장**

저 멀리서부터 걸어오는 발.

올라가면 수현이고.

많은 생각과 결심 끝에 용기를 내어…

양 주먹 꽉 거머쥔 채 천천히 광장 한가운데까지 걸어오는 위로.

수현 e	나는, 음주 운전 차에 억울하게 자식을 잃은 엄마입니다.
	이 자리에 교수 은수현도, 작가 은수현도 아닌, 강건우 엄마로서.
	'뭐야? 은수현이잖아?' 지나가던 몇몇 사람들 수현을 알아보고.
	누군가는 휴대폰으로 찍고.

| 수현 e | 두려움과 고통 속에서 죽어 가던 제 아이를 위해서라도, 절대 진실이 덮이도 |
| | 록 두진 않을 것입니다. |

피켓 속

<어린 생명을 잔인하게 죽여 놓고 이 나라의 대통령이 되겠다는 살인자 김
준을, 반드시 처벌해 주십시오!>

피맺힌 절규가 담긴 강건한 눈빛으로 똑바로 정면을 응시하는
수현의 눈빛에서.

15씬   D, 병원 카페테리아

| 태호 | (심란한) 아아 한잔이요. |

태호, SNS에 올라온 수현의 1인 시위 사진을 보는데, 등 뒤에서.

'은수현 1인 시위하는 거 봤어?'

태호 듣고 있는 위로.

'그 여자, 아들 죽고 망상 장애가 심해진 거래. 책 팔려고 쇼한다는 얘기도 있던데.'

태호, 확 돌아서서 테이블 사람들을 향해.

태호　저기요, 은수현 씨에 대해 알아요? 얼마나 알아요?
　　　가족인 나보다 더 잘 알아요?
　　　우리 형수님, 당신한테 그럴 말 들을 사람 아니야.
　　　함부로 말하고 다니지 말아요.

그대로 나가 버리는.

16씬　D, 광장
　　　무심히 지나가는 사람들 속에서…
　　　수현, 혼자 외로운 싸움을 하고 있는 그때…
　　　그 앞으로 다가오는… 명희다.
　　　평상시와 다르게 화장기 하나 없는…
　　　잠시 서로를 말없이 바라보는 두 사람….

명희　추위도 많이 타는 애가.

　　　명희, 수현이 세워 놓은 피켓 속, 건우의 얼굴을 보는데…
　　　올라오는 감정 꾹 누르며….

명희　하긴. 자식 차디찬 땅에 묻고 언제 한번 따뜻한 적 있었겠니.

수현	(감정 올라오고…)
명희	(그런 수현의 손에 핫팩 쥐여 주고는) 간다, 몸 잘 챙기고.

그렇게 명희, 돌아서서 가는데….

수현	어머니….
명희	(발걸음 멈춰 서는…)
수현	고맙습니다.

명희, 끝까지 꼿꼿하려 했건만… 그만, 참았던 눈물 흐르고…
보이지 않으려 계속 걸어가는 그 뒷모습을 바라보던 수현….

17씬　　**D, 청담 숍**

<당분간 쉽니다.>

18씬　　**D, 대학교 학생회 사무실**

문 두드리며 다급하게 들어가는 유리, 학생들에게.

유리	지금 은수현 교수님 1인 시위 중인 거 아시죠? 혹시 학생들 이용하는 게시판에 올려 줄 수 있어요? (cut)

cut to　동
유리, 바쁘게 걸어 나오며, 팬카페 운영자와도 통화.

유리	네 운영자님, 카페에다가도 공지 좀 해 주세요! 타 사이트에도 공유 좀 부탁
	드려요.

유리, 작은 도움이라도 되고 싶어서 발로 뛰어다니는.

19씬   **D, 의원실, 옥상 정원 문 앞**
쭉 도열해 있는 비서관과 장정들.

20씬   **D, 의원실, 옥상 / 국장실 (교차 / 통화)**
김준, 난간으로 걸어오며 통화.

수호 e	오늘 고생하셨다고 들었습니다.
김준	아입니다. 강 국장 와이프 덕에 내 매스컴도 한 번 더 타고 관심도 더 받고,
	오히려 고맙다 인사를 할 판인데.
수호	(조금 굳어지며) 후보님, 그 사람, 그냥 두시죠.
김준	내 인터뷰 못 봤십니까. 은수현 씨도 내 소중한 국민이라카는 거.
수호	(누르며) 내일 광장 유세 현장, 저희 팀 취재할 겁니다.
	크게 잘 다뤄 보죠.

수호, 전화 끊고는 핸드폰 속 수현의 외로운 1인 시위 사진을 보다가,
확 자리를 박차고 일어나는.

21씬   **D, 의원실, 옥상**

김준, 담배 한 대 입에 물고 내려다보며 불붙이려다…

이상한 기분에 서서히 시선 돌리는데…

조금 떨어진 곳에 저만치 내다보며 서 있는 선율의 모습.

김준	(태연하게) 아이고, 선율아 오랜만이다, 니 여기 무슨 일이고.
선율	(차갑게) 마지막 기회를 주려고. 더는 국민들 그만 속여. 역겨우니까.
김준	(미간 찌푸리며) 선율아, 내 자꾸 니한테 서운할라 카네. 내 말이라면 껌뻑 죽던 니를 누가 이리 괴물로 만들었노?
선율	(시니컬해지는) 나 진짜 궁금해서 그러는데,
	(서서히 눈빛에 살기 차오르고) 사람 죽인 사람도 대통령 되나?
	아니, 정확하게는 살인 청부인가?

김준, 확 선율의 멱살을 잡고 난간으로 밀치며 내리꽂으며.

김준	(무섭게) 니 정말 죽고 싶나!
선율	(목 졸린 채 핏발 서는) 왜, 그만큼 죽인 걸로 모자라!
김준	(더 세게 조르며) 내 앞길 막는 새끼들은 백 명이고 천명이고 밟아 죽일 끼다!
선율	(숨 안 쉬어지는) 그럼… 나도 엄마처럼… 죽여….
김준	(더 꽉 조이며, 어금니 꽉) 생각 중이다. 니만 죽일지, 은수현 그년도 같이 죽여 버릴지!

선율, 순간, 분노 폭발하며 김준을 난간으로 눕히며.

선율	더는 그 여자 건드리지 마!
김준	(전세역전, 목 졸린 채) 이 새끼가!
선율	(더욱 위태롭게 밀치며) 차라리, 오늘 여기서 같이 가는 거야.

김준을 움켜쥐고 확 떨어지려는 순간,

선율, 장정들에게 제압당하며 '쿵!' 넘어지고.

비서관, '후보님!' 하고 달려와 서둘러 김준을 부축하고.

선율, 몰려드는 장정들과 1대 여럿으로 패싸움.

치고받고, 피하고 날리고,

허나, 수적인 열세로 인해 장정들에게 포위당한 채 발길질을 온몸으로 받아

내면서도 흔들림 없는 선율의 눈빛.

김준, 린치당하는 선율을 노려보다가, 멈추라는 듯 손 들고…

장정들 향해 나가 있으라는 손짓.

쓰러져서 쿨럭 피 토하는 선율….

선율	(분노에 찬…) 왜 그랬어… 그 불쌍한 애한테 왜….
김준	그러게 처음 쳤을 때 확 뒤졌 삐맀으면 될 것을, 그랬음 지도 편하고 내도 편하고.
선율	(양 주먹 꽉…)
김준	선율아… 니, 내, 여까지 어떻게 올라왔는지 알재. 이래 봤자 내는 대통령 된다. (무섭게) 더는 까불지 말그래이.

그렇게 자리 뜨는 김준을 따라가는 비서관.

선율, 쿨럭. 피가 흐르는…

서서히 눈 감는데… 다 끝났다…. (F.O)

22씬 (F.I) D, 광장

같은 자리에서 외로운 싸움을 하며 꼿꼿하게 서 있는 수현…
그때 한 여자(30대) 다가와…
응원 메시지 적힌 포스트잇이 붙인 따뜻한 음료 건네고는 지나가면…
수현, 그 마음에 또 힘을 내고….

그런 수현의 모습 사이사이 컷컷되며 들어가는.

22씬 **요양센터 / 피시방 / 메신저 화면 창 / 대학교 건물 (몽타주)**
cut to   요양센터
요양센터 노인들과 직원들, 봉사 온 단체 사람들에게 성토하며.

'은수현 선생, 얼마나 좋은 사람이라고.'
'맞아요. 저희가 증명한다니까요. 절대로 허튼 소리 하실 분 아니에요.'
'무릎만 성하면 우리도 시위하는데 가고 싶은데….'

한마디씩 거드는 수현의 성품에 몰랐던 사람들도 알게 되고….

cut to   PC방
누군가 인터넷에 글을 올리는.

'은수현 저 분, 평생 잊지 못해요.'
'저도 포기했던 제 인생을 붙잡아 준 좋은 어른이었어요.'

카메라 천천히 올라가면 열심히 글을 남기는 사람, 바로 민혁이고.

cut to   메신저 화면 창 (c.u)

단톡방 명: 한국대 심리학과 12학번 모임

계속, 메신저로 올라오는 글들.

1. 은수현 교수님 소식 들었어?

2. 어. 뭐라도 돕자. 다른 분도 아니고 은 교수님이잖아.

3. 내 말이. 우리 집 정말 힘들 때 등록금도 빌려주셨어. 갚아야지.

4. 나도 연차 내고 가 보려고.

cut to   대학교 건물 안

정진희 기자, 청소 노동자를 인터뷰 중인.

청소 노동자   저 여기서 15년을 일했는데 은수현 교수님 같은 분 없었어요.

저 보면 늘 먼저 따뜻하게 인사해 주시고, 춥다고 머플러도 둘러 주시고…

인터넷에 그 분 욕 많이 올라왔던데…

아니에요 정말 좋은 분이셨어요.

수현을 향해 계속 쏟아지는 미담들.

24씬   **D, 광장**

수현, 그동안 자신이 건넸던 마음들이 점차 하나로 모이고 있는 줄 모른 채

여전히 그 자리에 서 있는데,

열댓 명 남짓, 사람들, 다가오고.

남자	저희도 사고로 가족을 잃은 사람들이에요.
	함께하고 싶어서 왔습니다.

다들 수현의 뒤로 서고.
수현에게 물이라도 마시라며 따서 주며 격려하는…
수현, 그 마음이 고마워 진심으로 고개 숙이고.

25씬	**D, 캠프**
	비서관, 다급하게 지시하며.

비서관	지금 올라오는 은수현 미담들 다 끌어내려!
	현장에도 사람들 보내!

INS	키보드 두드리는 알바 댓글러들의 손.
	'은수현, 교도소에서 정신 질환으로 자살 시도했대요.'
	'그런 사람 말을 누가 믿어.'
	'김준 끌어내리려고 상대 당에서 돈 먹었냐.'

26씬	**D, 광장**
	묵묵히 시위하는 수현. 그때, '쾅쾅!' 팻말 부수는 소리에 돌아보면,
	김준 지지자들, 건우의 팻말을 발로 밟고 부수며.

'야! 지겹다!'
'새끼 죽은 지가 언젠데! 그만 좀 해라.'

수현의 지지자들, '지금 뭐하는 거예요?!' 말리는 그 순간,

또 다른 김준의 지지자들 몰려와 수현을 향해 계란을 던지고.

수현 뒤에 서 있던 사람들에게도 날아와 터지는 계란.

사람들, 주춤하며 한두 걸음 뒤로 물러나는데,

수현, 한 발 짝도 움직이지 않고.

그 순간, 수현의 얼굴 쪽으로 날아오는 계란.

수현, 눈 하나 깜짝 않고 똑바로 쳐다보는 그때,

수현 앞을 가로막는 누군가의 등에 터지는 계란.

천천히 올려다보면….

상처가 가득한 선율의 얼굴…

선율… 말없이 바닥에 부서진 건우의 팻말을 주워 들고 수현을 보면…

수현, 잠시 바라보다가 받아 드는 강인한 눈빛.

그때, '빵빵' 클락션 소리와 함께, '끼이이익–' 멈추는 트럭.

'살인자 김준 타도!' LED 화면 속 문구와 함께 차에서 내리는 용구.

수진도 준성 재단 피해자 띠 두른 사람들을 데려오고.

그렇게… 모두 수현의 뒤로 가 서는…

선율도… 수현 옆에 함께 있어 주는….

점점 더 늘어나는 수현의 사람들….

27씬   **N, 김준의 유세 현장**

<국민이 선택한 미래, 김준>

<단 한 사람의 국민을 위해 기호 1번 김준>

무대를 향해 점점 몰려드는 지지자들로 인해 인산인해.
선거송에 맞춰 춤도 추고 노래도 부르고. 풍선도 흔들고.
축제 분위기.
그때, 갑자기 터지는 엄청난 함성 소리.

드디어 무대 위로 모습을 드러내는 김준.

지지자들 '김준! 김준!' 외치고.
뜨거운 환호를 받으며 손 흔드는 김준의 모습.

28씬   **N, 뉴스룸**

앵커석에 앉는 수호. 오늘따라 긴장한 눈빛 위로.

PD e   1분 전입니다.

29씬   **N, 유세 현장**

김준, 마이크 들고 의기양양 유세하는.

김준	여러분! 이 나라를 지킬 수 있는 사람, 누굽니까!
일제히	김준! 김준!
김준	저 김준은 위기를 기회로 바꾸겠습니다! 그리하여 모든 국민의 안전할 수 있는 권리와 행복한 대한민국을,

순간, 웅성대는 사람들.

김준 뭔가 싶어 사람들의 시선이 향한 옥외 전광판 쪽 보는데.

옥외 전광판, <ABS 8시 뉴스>

자막   대선 후보 김준 살인 교사 단독 보도

김준, 놀라 쳐다보고!

30씬   **N, 뉴스룸 (ON AIR)**
앵커석에 앉은 수호.

수호   시청자 여러분 안녕하십니까. 강수호입니다.
유력 대선 후보인 한국연합당 김준 후보가 살인을 교사했다는 증거를 저희
ABS에서 단독 입수하여 보도합니다.
지금부터 시청자 여러분께 권선율 씨가 제보한 영상을 보여 드리겠습니다.

그런 수호의 눈빛 위로.

플래시백   국장실 (10화 29씬)

수호   형, 나한테 계획이 있어.
수호 e   나, 김준 밑으로 들어갈 거야.

플래시백   홍어집 (11화 46씬)
수호, 김준과 함께 잔 부딪치고 마시며 서로를 바라보는 눈빛.

| 수호 e | 김준은 나 절대 안 믿어. 오직, 내 약점만 믿지. |
| | 그래서 나도 그걸 이용해 보려고. |

수호, 503호 우편물 챙기면서 603호도 쓰윽 챙겨 가는. (12화 37씬)
우편물 속, 옥수수 밭 사진들. (12화 38씬)
사진 뒷면에 적혀 있는 "김준 페이퍼 컴퍼니 실체야."

| 수호 e | 그 새끼가 방심한 순간, 그 찰나에 다 끝낼 거야. |

31씬 **(회상) N, 603호**
문 열리고 한상이 데려온 선율을 눌러보는 수호.

| 선율 | 나도 같이 해요. 김준 끌어내리는 거. |
| | 내 엄마를 위해서 그리고 당신 아들을 위해서, 내가 할게요. |

현재 광장
옥외 전광판에서 영상(21씬) 흘러나오고.

| 선율 | (울컥) 왜 그랬어… 그 불쌍한 애한테 왜…. |
| 김준 | 그러게 처음 쳤을 때 확 뒤졌 뻐렸으면 될 것을, 그랬음 지도 편하고 내도 편하고. |

드디어 세상에 공개 된 김준의 민낯을 바라보는 선율의 눈동자.
경악하는 사람들과 흔들리는 수현의 눈동자.

cut to   유세 현장

당황한 캠프 사람들, 전광판 꺼 달라고 전화하며 달려가고.
김준, 죽일 듯이 화면 쏘아보는데.

32씬   **N, 뉴스룸 스튜디오 앞**

사장과 가드들, 달려와 "당장 방송 중단해!" 수호를 끌어내리려는데,
동료들, 후배 기자들, 수호가 방송할 수 있도록 온몸으로 막아 주고.

33씬   **N, 유세 현장**

김준   (다시 마이크 잡고서 더 강력하게 외치며) 여러분, 설마 지금 저걸 믿으십니까! 딥페
          이크예요, 다 조작입니다! 저를 음해하려는 세력에 속지 마십시오!

          그 소리에 동요하던 지지자들, 다시금 '김준! 김준!' 연호하는 그 순간,
          '저게 뭐야?!'
          경악하며 더욱 술렁대는 지지자들.

          전광판 화면 속 자막
          강건우 군 사고 당시 찍힌 태블릿 음성, 김준으로 밝혀져.

김준   (!)

34씬   **N, 뉴스룸**

수호, 건우의 태블릿을 카메라에 보여 주며.

수호   마지막으로 전해 드릴 뉴스는 2015년 7월 14일 사고에 대한 뉴스입니다. 이 태블릿은 사고 당시 강건우 군이 갖고 있던 것으로, 사고 전후가 전부 녹음되어 있습니다. 지금부터 그날의 목소리를 들려드리겠습니다.

화면에 녹음 재생 중 뜨고.
그렇게 전국으로 송출되는 태블릿 속 화면.

김준 e   이제 청와대가 코 앞인데 벌레 한 마리 밟았다고, 가던 길 멈춰야겠나. 아님 밟아 죽이고 가야겠나.

INS   *얼어붙는 시민들의 모습.*

건우 e   엄마… 엄마….

그 위로 '부우우웅, 덜컹' 소리에, 스태프들조차 고개 숙이고…
밖에서 날뛰던 사장도, 문을 따는 경호원들에게 멈추라는 손짓.
엄마를 찾는 아들의 목소리를 견뎌 내며 듣던 수호…
드디어 천천히 고개 들고.

수호   (카메라 바라보며…) 시청자 여러분, 저는 지금 앵커 강수호가 아닌 한 아이의 아버지로서, 이 나라의 국민으로서 말씀드립니다.
한 생명을, 벌레 취급하며 죽인 인간이 국민을 섬기는 대통령이 되겠다고 나왔습니다.
부디 차디찬 바닥에서, 마지막 순간까지도 엄마를 찾던…

강건우 군의 목소리를… 꼭… (울컥) 기억해 주십시오.

INS　　　*뉴스 속 수호를 보며… 눈물 차오르는 수현.*

그렇게… 수호, 일어나고… 자리에 올려진 사직서.

걸어 나오는 수호를 향해, 동료들 존경을 표하며 고개 숙이고…
수호, 천천히 걸어 나가는… 눈빛 위로.

건우 e　　　아빠다!

이제야 서서히 차오르는 수호의 눈물….

플래시백

건우　　　(화면 속 수호 가리키며 좋아서) 건우 아빠다!
　　　　　(엄지척) 울 아빠가 최고야! (1화 10씬)

수현　　　자기가 옳았잖아. 난, 그때의 당신 선택, 정말 존경스러워.
　　　　　당신은 그 어떤 기자보다 정의로웠으니까. (1화 19씬)

현재
하염없이 쏟아지는 눈물과 함께… 드디어 모든 짐을 내려놓고…
그렇게 계속 걸어가는 수호의 뒷모습.

35씬	N, 유세 현장

동요하는 지지자들, 하나둘씩 자리를 뜨고.

김준	여러분, 저게 진짜면 제 목을 겁니다!

저를 깎아내리려는 모함에 속지 마십시오!

여러분을 위한 대통령이 누군지, 현명한 선택을 하셔야!

김준 앞에서 점점 더 썰물처럼 빠져나가는 유권자들.

36씬	N, 광장

서 있는 수현과 선율 뒤로 그때 어디선가 환한 불빛들이 비추고.

돌아보는데…

사람들이 하나둘씩 끊임없이 계속 걸어오는.

손에는 휴대폰에 띄운 LED 화면. (ex. 은수현 씨 응원합니다)

(휴대폰 화면 대안으로 ex. 야광별 / 혹은 휴대폰 플래시)

교수들, 수현에게 배웠던 학생들, 독자들, 청소부들.

'은 교수 우리 왔어요!'

'교수님 늦어서 죄송합니다! 저희도 함께 할게요!'

'작가님 응원합니다!'

청소 노동자, 자신이 한 머플러를 수현 목에 둘러 주고.

수현, 감사하게 바라보는 앞으로,

또 한 무리의 중학생들, 아이 손을 잡고 나온 부모들.

'저 건우랑 어렸을 때 친구였어요. 학교 친구들 다 데리고 왔어요.'
'건우 엄마, 꼭 힘내요!'

점점 늘어나는 수현의 사람들.
유리와 청담 숍 직원들도 함께 서 주고…
바라보는 수현과 유리의 눈빛.
그 뒤로, 태호도 수진의 옆에 서고…
민혁이도, 한상이도… 부영동 피해자들… 정진희 기자, 변호사도….

수현, 우리 건우를 위해서 모여 준 사람들을 고맙게 바라보고…
선율, '당신이 해낸 거예요.' 수현을 먹먹하게 바라보는 눈빛…
점점 늘어나는 수현의 편들… 어느새 가득 채운 광장.

37씬   **N, 유세 현장**
김준, 계속 흩어지는 지지자들을 향해.

김준   여러분! 동요하지 마십시오! 모두 다, (순간)

누군가 화가 나서 김준의 마이크 코드를 빼 버려 소리도 안 나오고.

김준   (비서관을 향해) 뭐하고 있나! 저거 원본도 아니잖아! 당장 막아라!

돌아보는데 이미 사라진 비서관.

cut to 동

흩어지는 지지자들 틈 사이로 함께 도망가는 비서관.

그 눈빛 위로.

34씬　　**(회상) N, 은밀한 곳**

선율, 수현이 준 자료(11화 51씬), 비서관에게 건네며.

선율　　내 엄마 왜 죽였어?

비서관　　(당황) 그게.

선율　　(말 끊고) 김준이 시켰다고? 그걸 누가 믿어 줄까. 이 증거들 제출하면 누가 다
　　　　뒤집어쓸 거 같아?

비서관　　(흔들리는…)

선율　　김준은 이미 끝났어. 나한테 증거 많은 거 당신도 알잖아.

　　　　결정해. 같이 김준과 침몰할지, 지금이라도 그 배에서 내릴지.

비서관　　(이리저리 돌리는 눈동자)

회상　　의원실, 옥상 (21씬) (비서관의 시선)

선율, 함정을 파 놓고 장정들에게 두들겨 맞으며 김준을 자백하게 만드는 장
면이 고스란히, 비서관의 단추에 녹화되고 있는.

현재

김준, '비서관까지 나를 배신했구나…!'

그때, 사이렌 소리와 함께 들이닥치는 경찰들.

경찰　　(에워싸며) 강건우 군, 김은민 씨 살인 교사 혐의로 체포합니다. (수갑 채우려는데)

김준	(무섭게) 못 치우나! 내, 아직 대선 후보다. (그때)

옥외 전광판 속　수현을 지지하며 광장을 가득 채운 사람들 모습.

기자	몇 시간 전까지만 해도 홀로 외롭게 사투를 벌이던 은수현 씨 옆으로 시간이 지날수록 더욱 많은 사람들이 모이고 있습니다. 거대 권력에 맞서 진실을 밝히겠다는 은수현 씨의 진심이 사람들의 마음을 움직인 겁니다.

김준, 요동치는 눈빛으로 둘러보는데, 좀 전에 화려했던 영광은 다…
사라진 채….

39씬　N, 광장

옥외 전광판 속, 김준이 연행되어 가는 화면.

자막	김준, 유세 현장에서 긴급 체포

더욱 커지는 함성 속…
그렇게… 맨 앞에서 김준을 끌어내린 수현과 선율…
두 사람의 단단한 눈빛… 그 위로.

40씬　뉴스 / 기자 회견장 / 포털 기사 (몽타주)

cut to　마구 쏟아지는 타 방송국 뉴스

앵커 1	어제 ABS에서 단독 보도한 이른바 김준 게이트로 뉴스 시작합니다. 김준 전

한국연합당 대선 후보의 불법 행위가 하나둘씩 드러나고 있습니다. 페이퍼 컴퍼니를 통한 자금 돌리기로 부당이득을 취한 혐의를 받고 있는 김 씨는 오늘 낮 특정경제범죄가중처벌법상 재산국외도피, 횡령 등 혐의로 추가 기소됐습니다. (cut)

앵커 2   김 씨가 법무법인 백두대간과 MOU를 맺은 뒤 대표 황지석 씨와 조성한 비자금이 한화 200억에 달하는 것으로 보이며 관계된 정재계 인사들이 적힌 장부가 나와 파장을 일으키고 있습니다. (cut)

기자   김 씨가 서울시장이었을 당시 인명 피해가 있던 부영동 화재 사건 역시 재개발을 하기 위해 계획한 방화로 밝혀져 충격을 주고 있습니다.
이곳은 당시 부영동 화재 사건이 났던 곳인데요. 아시다시피 부영동 화재 사건은 노후된 건물과 슬럼화된 골목으로 인해 불이 난 것으로 알려져 있었습니다. (cut)

백두대간 로펌 앞에서 연행되는 건우 사건 법조인들. (cut)
김준의 행각에 경악하는 시민들. (cut)

cut to   한국연합당사 기자 회견장
선율이 회유했던 6인의 정치인들 앞에 서 있고.

최주석   김준 의원이 저지른 각종 범죄가 명백히 드러났습니다. 이는 매우 중대한 사태이며, 범죄자에게 국정을 맡길 수 없으므로, 한국연합당은 대선 후보 김준의 사퇴를 공식 발표합니다. 더불어 국민 여러분에 대한 한국연합당의 신뢰와 믿음을 깨뜨린 것에 대해 진심 어린 사과의 말씀을 드리는 바입니다.

cut to   포털 기사 사진
<은수현 작가가 일으킨 기적, 민심으로 되찾은 정의>

광장 속 수많은 인파 가장 앞에 선 '수현'의 얼굴.

그 위로.

판사 e 2024 고합 1427 사건과 2024 고합 1657 사건에 대한 병합 재판을 시작합
니다.

41씬 **D, 법정**

수감복의 김준, 피고인석에 변호사 3명과 함께 앉아 있고.
수현, 방청석에 앉아 그런 김준을 똑바로 지켜보는 가운데.

증인석에 앉아 있는 가해자 와이프.

와이프 애가 많이 아팠어요… 김준이 살려 준다고 해서… 남편은 김준이 시키는대
로 김은민 씨를 차로 쳤어요…. (cut)

증인석에 앉은 비서관….

비서관 김준 밑에서 수년간 상습적으로 폭행을 당했습니다.
온갖 더러운 짓을 시켰고 그중에는 살인 청부도 있었습니다.

술렁이는 법정 속 쏘아보는 김준의 눈빛. (cut)

그때, 천천히 증인석으로 걸어 나오는 사람, 혜금이고.
김준, 일그러지는 눈동자.

| 혜금 | 그날 김준은 건우 사고 현장 근처에 있었습니다. 사고 직후, 저희 집 앞 CCTV와 제 차 블랙박스, 휴대폰까지 김준은 싹 다 가져갔습니다. 그날 저와 통화한 내역을 증거로 제출할 수 있습니다. |

수현, 걸어 나오는 혜금과 눈이 마주치는 두 사람… 그 위로.

| 혜금 e | 한번은 도와주겠다던 약속 이제야 지켜요… 늦어서 미안해요. |

컷 튀면.

다른 날.

| 검사 | 현재 병합된 김은민 사건의 고소인 권선율 씨를 증인으로 신청합니다. |

드디어, 마지막 증인으로 나오는 선율, 증인석에 앉고.
그 모습을 담담하게 지켜보는 수현.

검사	증거로 제출된 음성에 따르면 피고인 김준과 증인의 아버지 사이에 거래가 있었던 것으로 보이는데 정확히 어떤 것인지 아십니까.
선율	당시 저는 심장 이식이 급한 상태였고 김준은 제 심장 이식 수술을 가지고 아버지와 거래했습니다. 지금 제 가슴 속에 있는 심장이 바로 그 증거입니다.
변호인	은수현과 증인이 서로의 집에 수차례 드나들었다는 증언이 있는데, 두 분, 어떤 사이입니까?
검사	이의 있습니다. 본 재판과 관련이 없는 질문입니다. (순간)
선율	(O.L) 저는, 은수현 씨에게 의도적으로 접근했습니다.
일동	(웅성)

수현   (본다…)

선율, 판사, 검사도 아닌, 이걸 듣고 있는 수현에게 전하는 고해성사.

선율   무너뜨리고 싶었습니다… 그런데…
              내가 흔들렸어요.
              내 아버질 죽인 사람은 나쁜 인간이어야 하는데…
              복수라는 차갑고 외로운 세상에 갇혀 있던 저에게…
              그 사람은… 처음으로 제대로 살라고 말해 줬어요.
              제 인생에 참견했고, 제 끼니를 걱정했고, 제 상처를 들여다봐 줬어요.

수현   (먹먹해지는…)

선율   그건 처음으로 받아 보는 위로였습니다.
              그 사람 말처럼 더는 제 인생을 함부로 내버려 두지 않으려고요…
              그래서 이 자리에 섰습니다.
              부디 상처받은 사람들이 다시, 일어났으면 하는 마음으로요….

              선율의 얼굴… (c.u)
              서로 바라보지 않아도… 그 진심이 느껴지는 수현…. (c.u)

              컷 튀면.

              다른 날.

판사   2024 고합 1427 사건과 2024 고합 1657 사건에 대해 선고합니다.
              기소된 공소사실 중 살인교사, 범인도피교사에 대해서 사고 당시 영상 등 여
              러 증거를 종합하면 피고인의 혐의가 인정된다.

피고인은 이 사건 이후 8년이 넘는 기간 동안 피해자의 유족들에게 진실된 사과나 피해보상을 하지 않았으며, 현재까지도 반성하는 모습을 보이지 않은 점에 대하여 본 법원은,

수현   (…)

선율   (…)

판사   피고인 김준을 무기징역에 처한다.

수현, 간절히 듣고 싶었던 말… 벅차오르는 감정.
선율도… 차오르는 복잡한 감정….

변호사   (진땀 나며 김준에게 조아리며) 죄송합니다 의원님.

김준   (일그러지는… 어금니 꽉) 항소 준비해라.

그렇게 나가는 김준과 함께… 하나 둘 법정 안 사람들 사라지고.
혼자만 남은 수현. 그때…
어느새 옆자리에… 건우가 따뜻한 미소로 올려다보고….

건우   엄마? 여기 아파?

그러더니, 수현의 손등 흉터에 대고 아프지 말라고 '호… 호…'
수현, 그런 건우를 차오르는 눈빛으로 바라보다가….

마지막으로 만져 보는 아들의 얼굴… 머릿결… 보드라운 손…
그렇게 가슴에 새기며… 먹먹하게 바라보는 수현의 눈빛에서….

42씬	**D, 법원 앞**

수현, 천천히 걸어 나오는… 저 앞에 수호가 서 있고.

잠시 바라보는 두 사람.

43씬	**D, 카페**

마주 앉은 수현과 수호.

수현	징계 세게 받았다며.
수호	(머쓱) 어… 그래도 다행히 잘리진 않았어. 방송 사고랑 특종을 동시에 터뜨려서.
수현	(그런 수호를 물끄러미 보다가…) 수호 씨.
수호	(고개 들면…)
수현	나… 당신 그때 왜 멈췄는지 알아.
	건우가… 대문을 나설 때 영상 속에서 문 여는 소리가 안 들리더라…
	문 연 사람, (아프고) … 나였어.
수호	(!)
수현	나… 단 하루도 내 탓을 안 한 적이 없어.
	내가 문을 열었으면 어쩌나… 죄책감으로 매일 밤 고통스러웠어…
	죽고 싶을 만큼….
수호	(마음 아프고) 수현아, 절대 네 잘못 아니야….
수현	그래, 그걸 아는 데까지 참 오래 걸렸어.
	그 시간 동안 당신도… 힘들었겠다.
	(담담한 미소로 마지막 진심을 전하며) 이제… 당신도 편안해져.

수호, 그 말에 감정 올라오고….

수호	나는… 항상 당신을 지켜야 된다고 생각했나 봐.
	근데… 내가 참 몰랐던 거 같다.
	(붉어 오는 눈가…) 당신은 나보다도 더 강한 사람이라는 걸.
	혼자서도 이렇게 빛나는 사람이라는 걸….

그렇게 마지막으로 진심을 전하는 두 사람.

(F.O)

| e | 뚜벅뚜벅 걸어오는 발소리와 함께…. |

44씬   D, 접견실

기다리고 앉아 있는 선율 앞으로 문 열고 들어서는 김준.

잠시 서로를 바라보다가… 착석하는 김준.

선율	항소한다는 소식 들었어요.
김준	(미소) 하모, 억울한 일이 생겼으이, 법대로 해야 하지 않겠나.
선율	그래요. 이번만큼은 꼭, 법대로 벌 받아요.
김준	(비릿한 미소로) 니. 무슨 영웅된 거 같재.
	선율아. 내 하나 없어진다꼬 이 세상 안 변한다.
선율	알아요. 근데 이 세상엔 김준만 있는 게 아니니까. 그보다 더 나은 사람들도
	많으니, 분명 좋아질 겁니다
김준	(매서워지는 눈빛으로…) 니, 내가 여기서 끝날 거 같나?
선율	아니. 아직 멀었어요.
	지금부터 끝도 없는 재판이 당신을 기다릴 거야.
	우린, 이제 시작이고, 여기가, 당신의 마침표야.

처음으로 흔들리는 김준의 눈빛.

선율, 담담히 일어나 뒤도 안 돌아보고 나가는.

점점 멀어지는 선율의 모습에서….

45씬   **D, 소원 나무 언덕**

여기저기 소풍 나온 사람들 사이로…

천천히 한 걸음씩 오르는 선율.

드디어 저만치 나무 한 그루 아래… 기다리고 있는… 수현이다.

잠시 그렇게 서로를 바라보는 두 사람….

컷 튀면.

소풍 나온 행복해 보이는 사람들을 바라보며 앉아 있는 수현과 선율.

선율　　　여긴… 어디에요…?

수현, 잠시 나무를 올려다보다가….

수현　　　소원 나무야. 여기다 소원을 빌면 이루어진대.

선율　　　(올려다보고…)

수현　　　넌 소원이 뭐야.

선율　　　(낮은 미소) … 없어요. 그런 거.

수현　　　그럼 이제부터 가져 봐.

선율　　　(보면…)

수현	더는 앙상한 나무처럼 살지 말고 싹 틔우면서 살아.
	죽어 가는 것들 속에만 있지 말고.

선율, 그런 수현의 진심에… 잠시 먹먹하게 바라보다가….

선율	마지막… 인사 같은 건가….
수현	(담담한 미소로… 끄덕이다가…) 남은 네 인생은 너한테 좀 다정했으면 좋겠다. 그래서 어느 날, 연락 한 통을 받는 거야.
	이젠… 다 괜찮다고….

선율, 그 말에… 역시나 먹먹한 미소로 바라보다가….

선율	그쪽도요….

그렇게 지독한 악연의 고리를 끊어 내고… 마지막 인사를 건네며…
서로의 행복을 바라는 두 사람의 모습….

점점 멀어지며…. (F.O)

화면 밝아지면서….

<6년 후>

수호 e	어머니~

46씬	D, 분위기 좋은 공원

벤치에 앉은 수호, 고은.
수호, 고은의 목에 목도리 해 주고….

수호	어머니 오늘따라 기분 좋아 보이네~

고은, 그런 수호를 물끄러미 바라보다가….

고은	(수호의 얼굴을 감싸 주며) 우리 예쁜 사위….

쓰다듬어 주는 고은의 손의 온기를 먹먹하게 느끼는 수호의 눈동자.

수현 e	엄마는 아픈 게 아니라 어쩌면 더 행복한 시간 속으로 돌아갔을지도 모른다.

47씬	D, 보도국 복도

수호, 걸어 들어오는데, 그 옆으로 따라붙는 열혈 신입 기자.

기자	국장님! 이거 무조건 해야 돼요! 잠입 취재해서 겨우 증거 잡았는데 안 된다뇨!
수호	내가 하지 말랬냐? 사장이 안 된다잖아.
신입	이거 언론 탄압입니다! (갑자기 그 자리에 멈춰 서서) 우리는! 권력과 금력 등 언론의 자유를 위협하는 내외부의 개인 또는 집단의 어떤 부당한 간섭이나 압력도 단호히 배격한다!

수호 문득 그 모습 위로 겹쳐 보이는.

플래시백 (1화 10씬)

수호   우리는 권력과 금력 등 언론의 자유를 위협하는 내외부의 개인 또는 집단의
                 어떤 부당한 간섭이나 압력도 단호히 배격한다!

수호   그 기사 꼭 내야겠냐?
신입   정의 구현입니다!
수호   (하…) 그래, 해라 새끼야. 대신 책임은! (눌러보다가) 내가 진다.
                 이래 뵈도 내가 대형 사고 짬빠가 있는데.
신입   사랑합니다!
수호   (후배 머리 콩 때려 주고) 대신 제대로 해 인마.

         가면서도 피식 웃는 수호.

48씬   **D, 터프팅 공방**
         명희, 수진에게 꽃다발 건네고. 태호, 흐뭇하게 바라보고.

명희   총 쏘는 재주로 전시회까지 열고 대단해. 하여간.
수진   감사해요! 꽃 너무 예뻐요!
태호   수진 씨가 더 예뻐요.
수진   (태호 옆구리 찌르고)
명희   (어이 없으면서도 귀엽고) 밥 사 줄게. 수진이 먹고 싶은 걸로 먹자.
수진   (그 말에 환하게 웃으며) 무조건 한우죠! 저 이거 화병에만 얼른 담고 나올게요!

         수진, 꽃다발 들고 안으로 달려가면.

| 태호 | 수진 씨한테 잘해 줘서 고마워요 엄마. |
| 명희 | (수현을 떠올리며… 씁쓸…) 나도 두 번째는 잘해야 할 거 아냐…. |

49씬   D, 디자이너 작업실

책상 위에 놓인 원단과 크로키.

그 옆으로 마네킹 놓여 있는 작은 작업실.

유리, 정신없이 도안 보며 원단 고르는데,

직원 들어오며 유리 앞에 커피 놔 주고.

직원	쉬엄쉬엄 하세요 대표님. 벌써 3일째 안 주무셨어요.
유리	미치겠다. 다음 달 런칭인데.
직원	솔직히 편집 숍 대표일 때가 더 좋으셨죠?
유리	(생각하다) 아니, 그래도 내 브랜드를 갖고 일하는 지금이 더 좋아.

그렇게 환하게 웃는 유리의 얼굴 위로.

수현 e	우리 모두 그렇게 각자의 삶을 살아가고 있었다.
	그리고 나…
	나에게는 다시 아이가 생겼다.

50씬   노을, 앞마당

저만치 건우 또래의 남자아이가 달려오며.

| 아이 | 엄마~~ |

걸어오던 수현, 그 아이를 향해 양팔 벌려 꼭 품에 안아 주며…

수현   우주야~

그때, 어디선가 한 무리의 아이들 또 수현에게로 달려와…
'엄마~~' 안기고.

<사랑보육원> 앞마당에서… 그렇게…
수현, 아이들, 꼭 안아 주고 쓰다듬어 주고.

51씬   **D, 치킨집 (구도로 통닭 PPL)**
수현, 아이들과 둘러앉았고.

수현   오늘 하늘이 생일이니까 먹고 싶은 거 다 먹어.
아이 1   (메뉴판 보더니) 우와 맛있는 거 엄청 많다! 저 진짜 여깄는 거 다 먹어도 돼요?
수현   (머리 쓰다듬고 미소)

컷 튀면.

그 앞으로 통닭 나오고 아이들 '와아~' 환호하며 한마디씩 거들고.

아이 2   우와! 구운 통닭이라 더 맛있어요!
아이 3   누룽지랑 같이 먹으니까 진짜 맛있다!
아이 1   (눈 반짝거리며 둘러보고) 여기 불빛이 반짝반짝해서 너무 예뻐요!

수현, 많이 먹으라며 따뜻하게 아이들 챙겨 주고.

신나게 먹고 떠드는 아이들 속에서 행복한 수현의 모습.

52씬　　　**N, 산책로 (유리와 함께 걷던)**

수현, 음악을 들으며 걸어가는… 그 길 위에 저만치 서 있는 유리.

마주 선 채… 그렇게 잠시 서로를 보다가…

수현, 쉽진 않지만… 언제나 그랬듯 유리에게 먼저 내밀어 주는 손…

유리, 울컥… 감히 잡을 수도 없는 그 손을…

수현이 대신 잡아 주고… 다시금 걸어가는 두 사람 위로….

수현 e　　　그리고, 남은 한 사람. 죽어 가는 것들 속에 살았던 그 아이.

53씬　　　**D, 엘리베이터 안**

무표정하게 서 있는 남자의 뒷모습. 선율이고.

그 옆으로 서 있던 젊은 군인.

그 순간, '쿵!' 하는 소리에 선율 돌아보면,

군인, 의식을 잃고 쓰러진.

선율, 재빠르게 군인 상태 빠르게 체크하더니,

신속하게 심폐소생술.

'제발… 제발…' 그 순간, 다시 숨을 토해 내는 군인.

선율　　　(살았다!) 정신이 좀 들어요?!

누가 먼저랄 것도 없이 서로를 꼭 안아 주는 선율.

그때, '땡' 하고 열리는 엘리베이터.
보면, 이제야 여기가 어딘지 보이는 '병원'이었고.

컷 튀면.

가드들, 군인을 휠체어에 태우고.
선율, 잘 인수인계한 다음, 그제야 시계 보는데, 늦었다!
황급히 달리는 저 앞에서 기다리고 있던 친구들, 다급하게 손짓!

'형 빨리 와! 실습 늦었어!'

선율   어!

뛰면서 꺼내 드는 의사 가운 걸치며 달려가는 선율.
환한 미소로 친구들과 함께 뛰어가는….

54씬   N, 병원 앞, 버스 정류장
선율, 병원에서 나와 귀에 이어폰 꽂고 음악을 들으며 걸어가는…
그러다 서서히 느려지며 멈추어 서는 선율의 발…
저기, 정류장 배너에 익숙한 이름….

<은수현 작가 신간 사인회>

한참 동안… 그 앞에 서 있는 선율….

55씬	N, 서점

<사고 피해자 유가족을 위한 도서 판매 수익금 전액 기부 행사>

사인 받으려고 늘어진 줄.

선율, 천천히 걸어 들어오는데…
저 앞, 한 사람 한 사람 눈을 맞춰 가며… 사인해 주며 웃고 있는…
수현의 얼굴이 보이기 시작하는….

저 여자… 웃고 있구나….

수현, 유리가 선물해 준 만년필로 사인해 주고…
또 다음 사람을 기다리며 고개 드는 그 순간,
저만치 자신을 바라보며 서 있는 선율….

잠시 그렇게…
뭐라 말할 수 없는 감정으로 서로를 바라보는 두 사람….

'띠링' 그때, 수현의 문자 수신음.

선율 e	이젠… 괜찮아요.

그 말에… 수현, 먹먹하게 선율을 바라보고.
무언의 눈빛.
서로 아무 말 하지 않아도… 진심으로 그대의 남은 삶을 응원하며….

그렇게…

발길 돌리는 선율과…
다시 사인해 주는 수현의 모습 위로….

수현 e   삶의 여정 한중간에서 나는 길을 잃고 헤맸었다.
소중한 사람을 잃는다는 건, 아무리 오랜 시간이 지나도 외로운 일이다. 그러
나, 계속 흘러가 보려고 한다.

멈추지 않고 계속 걸어가는 선율 위로….

수현 e   그렇게 가다 보면 언젠가는 아픔이 덜한 시간에 가 있을 것이다.

그렇게 점점 더 멀어지는 두 사람의 모습 위로.

수현 e   부디, 상실의 슬픔을 가진 모든 사람들이 편안해지기를.
세상이… 그들에게 조금은 더 다정하기를.
아픔을 이겨 내고 있는 당신에게도… 아름다운 세상이 오기를.

(사인해 주며) 원더풀 월드.

The end

자식을 억울하게 잃은 엄마는, 뭐든 해.

– 수현 –

죽는 건 쉬워. 계속 살아 내는 게 어려운 거지.

누구든 나를 흔들고 싶다면 마음대로 해.

날 죽일 순 있어도,

(강경한 눈빛으로) 이 마음을 죽일 순 없어.

– 수현 –

늦었어. 이제… 더는 당신 내 남자 아냐.

-수현-

W h a t   a   WONDERFUL WORLD . . .

언니는, 너 안 버려. 그러니까 떨지 마.

너 예뻐서가 아냐.

너를 딸 이상으로 여기는, 엄마를 위해서.

-수현-

내 신념은 말이야.

죽음엔 더 큰 죽음으로.

– 선율 –

W h a t   a   WONDERFUL WORLD . . .

엄마… 나 왔어….

내가 좀… 늦었지….

미안해… 엄마… 내 옆에 있어 주느라… 애썼어…

고생 많았어, 우리 엄마…

고마워….

– 선율 –

김은민 씨.

여기까지 오는 길이 쉽지만은 않았습니다.

나는, 아직도 우리 건우를 앗아간 당신 남편을 용서할 수가 없습니다.

내 새끼를 떠나보낸 그날부터 내 인생도 숨만 붙어 있을 뿐,

죽은 거나 다름없었습니다.

그러나, 당신에게 이 말은 꼭 하려고 왔습니다.

당신 아들은, 내가 돕겠습니다.

그것만큼은 내가 하겠습니다.

권지웅의 아내로서가 아니라, 선율이 엄마인 당신에게 약속합니다.

그러니… 이제 그만, 편히 쉬어요.

ㅡ 수현 ㅡ

충분히 슬퍼하고 충분히 괴로워하고,

그런 다음 나한테 와.

내가,

뭐든 도울게.

– 수현 –

W h a t   a   WONDERFUL WORLD

누더기 같은 자존감을 명품으로 치장한다고 당신 가치가 올라가진 않아.

– 수현 –

내가 약속할게, 너의 엄마, 내가 도울게,

네 엄마가 나한테 그랬던 것처럼.

– 선율 –

나는 그때, 그런 선택을 했고, 그게 옳다고 믿었어.

근데 선율아, 너한테만큼은, 씻을 수 없는 아픔을 줬다.

나도… 미안하다.

– 수현 –

전 죽을 땐 죽더라도 부딪혀 보려고요.

저 대신 죽은 한 아이를 위해서…

그 엄마를 위해서…

더는 부끄럽고 싶지 않아요.

– 선율 –

엄마, 나 해야 할 일이 있어.

엄마 위해서. 우리 건우 위해서. 내가 꼭 잘 해낼게.

나 엄마 딸이잖아.

– 수현 –

최악의 상황에서도

늘 옳은 길을

찾아내더라고요.

당신은 잘 해낼 거예요.

당신답게.

– 선율 –

모든 건 그에 맞는 때가 있는 것 같습니다.

그게 저는 지금입니다.

저의 이번 신작은 철저하게 실화를 바탕으로 쓰여질 예정입니다

그날, 제 아들 사고에 또 다른 범인이 있었습니다.

그는 자신의 욕망을 위해 살아 있는 제 아들을 죽였습니다.

여기 계신 여러분들, 아니 전 국민이 아는 사람입니다.

바로, 가장 유력한 대통령 후보, 김준입니다.

-수현-

W   h   a   t   a   WONDERFUL WORLD

더는 그 여자 건드리지 마!

우리, 오늘 여기서 같이 가는 거야.

-선율-

아무 방법도 없을 때 선택할 수 있는 한 가지는,

용기를 갖는 일.

– 수현 –

W h a t   a   WONDERFUL WORLD   .   .

나는, 음주 운전 차에 억울하게 자식을 잃은 엄마입니다.

이 자리에 교수 은수현도, 작가 은수현도 아닌, 강건우 엄마로서.

두려움과 고통 속에서 죽어 가던 제 아이를 위해서라도,

절대 진실이 덮이도록 두진 않을 것입니다.

– 수현 –

시청자 여러분,

저는 지금 앵커 강수호가 아닌 한 아이의 아버지로서,

이 나라의 국민으로서 말씀드립니다.

한 생명을, 벌레 취급하며 죽인 인간이

국민을 섬기는 대통령이 되겠다고 나왔습니다.

부디 차디찬 바다에서, 마지막 순간까지도 엄마를 찾던…

강건우 군의 목소리를… 꼭…기억해 주십시오.

– 수호 –

무너뜨리고 싶었습니다… 그런데…

내가 흔들렸어요.

내 아버질 죽인 사람은 나쁜 인간이어야 하는데…

복수라는 차갑고 외로운 세상에 갇혀 있던 저에게…

그 사람은… 처음으로 제대로 살라고 말해 줬어요.

제 인생에 참견했고, 제 끼니를 걱정했고, 제 상처를 들여다봐 줬어요.

그건 처음으로 받아 보는 위로였습니다.

그 사람 말처럼 더는 제 인생을 함부로 내버려 두지 않으려고요…

그래서 이 자리에 섰습니다.

부디 상처받은 사람들이 다시, 일어났으면 하는 마음으로요….

— 선율 —

What a WONDERFUL WORLD . . . .

아니. 아직 멀었어요.

지금부터 끝도 없는 재판이 당신을 기다릴 거야.

우린, 이제 시작이고, 여기가, 당신의 마침표야.

— 선율 —

더는 앙상한 나무처럼 살지 말고 싹 틔우면서 살아.

죽어 가는 것들 속에만 있지 말고.

– 수현 –

이젠… 괜찮아요.

– 선율 –

삶의 여정 한중간에서 나는 길을 잃고 헤맸었다.

소중한 사람을 잃는다는 건, 아무리 오랜 시간이 지나도 외로운 일이다.

그러나 계속 흘러가 보려고 한다.

그렇게 가다 보면 언젠가는 아픔이 덜한 시간에 가 있을 것이다.

부디, 상실의 슬픔을 가진 모든 사람들이 편안해지기를.

세상이… 그들에게 조금은 더 다정하기를.

아픔을 이겨 내고 있는 당신에게도… 아름다운 세상이 오기를.

– 수현 –

What a WONDERFUL WORLD . . .

원더풀 월드

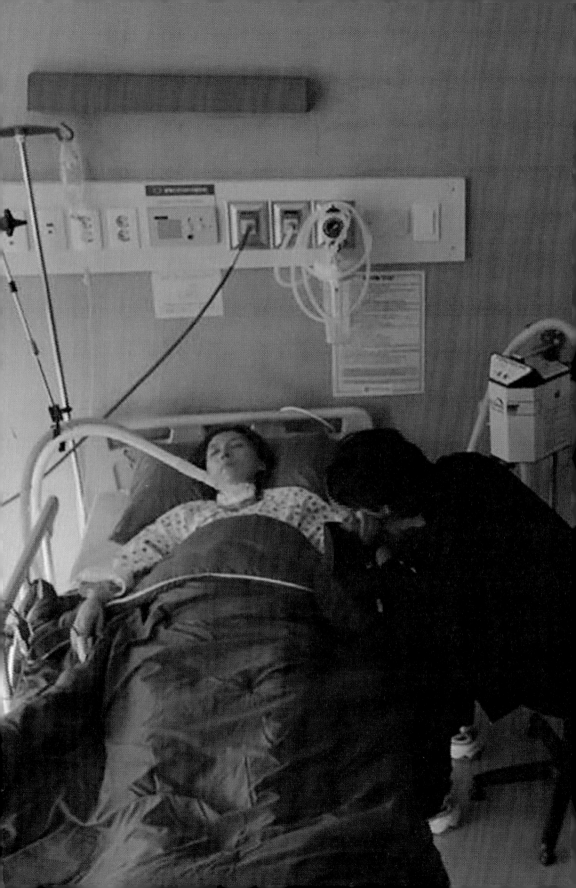

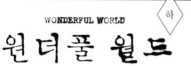

WONDERFUL WORLD 하

원더풀 월드

초판 1쇄 인쇄
2024년 5월 08일
초판 1쇄 발행
2024년 5월 16일

글
김지은

펴낸이
백영희

펴낸곳
너와숲ENM

주소
14481 경기도 부천시
부천로354번길 75, 303호

전화
070-4458-3230

전화
제2023-000071호

ISBN
979-11-93546-28-4(04680)
979-11-93546-26-0 세트

정가
24,000원

ⓒ김지은

이 책을 만든 사람들

편집
허지혜
마케팅
유승현

제작처
예림인쇄

디자인
글자와기록사이